W9-ABB-485

# Kulturbesitz und Sammlungen der Ernst-Moritz-Arndt-Universität Greifswald

# Kulturbesitz und Sammlungen der Ernst-Moritz-Arndt-Universität Greifswald

Cultural Treasures and Collections
of Ernst Moritz Arndt University, Greifswald

herausgegeben von der
Ernst-Moritz-Arndt-Universität Greifswald,
verantwortlich verfaßt von Dr. Birgit Dahlenburg

Übersetzungen ins Englische von Patrick Plant

HINSTORFF

*Texte:*

| | |
|---|---|
| Dr. Dahlenburg, Birgit | (Einleitung, Kurze Chronik der Universität, Der akademische Kunstbesitz, Das Universitätshauptgebäude mit der barocken Aula und dem Konzilsaal, Das Rubenowdenkmal, Der letzte Greifswalder Studentenkarzer, Universitätsarchiv) |
| Dr. Dietrich, Helmut | (Geologische Landessammlung von Vorpommern) |
| Prof. Dr. Fanghänel, Jochen | (Sammlungen des Instituts für Anatomie) |
| Dr. Fischer, Jutta | (Archäologische Studiensammlung des Instituts für Altertumswissenschaften) |
| Dr. Knöppel, Hans-Arnim | (Universitätsbibliothek) |
| Dr. König, Peter | (Botanischer Garten) |
| Dr. Krey, Inge | (Grafische Sammlungen des Caspar-David-Friedrich-Instituts) |
| Dr. Litterski, Birgit | (Sammlungen des Botanischen Instituts) |
| Dr. Männchen, Julia | (Sammlungen zur Biblischen Landes- und Altertumskunde des Gustaf-Dalman-Instituts) |
| Morning, Maria | (Sammlungen des Instituts für Anatomie) |
| Dr. Petrick, Christine | (Universitätsbibliothek) |
| Dr. Terberger, Thomas | (Sammlung vorgeschichtlicher Altertümer am Institut für Vor- und Frühgeschichte) |
| Prof. Dr. Dr. Thümmel, Hans-Georg | (Sammlung des Victor-Schultze-Instituts für Christliche Archäologie und Geschichte der kirchlichen Kunst) |
| Dipl.-Päd. Sattler, Hannelore | (Historische Kartensammlung des Instituts für Geographie) |
| Dr. Schittek, Dietmar | (Sammlungen des Zoologischen Instituts) |

*Fotografien:*

Grzegorz Solecki und Zbigniew Ryngwelski
Studio Architektur- und Kunstfotografie
Schloß der pommerschen Herzöge, Szczecin/Polen

Sabine Haase, Pressestelle der Ernst-Moritz-Arndt-Universität
Greifswald (Bild Nr. 30)

Die Deutsche Bibliothek - CIP-Einheitsaufnahme

**Universität <Greifswald>:**
Kulturbesitz und Sammlungen der Ernst-Moritz-Arndt Universität = Cultural treasures and collections of Ernst Moritz Arndt University / hrsg. von der Ernst-Moritz-Arndt-Universität Greifswald.
Verantw. verf. von Birgit Dahlenburg.
[Fotogr.: Grzegorz Solecki und Zbigniew Ryngwelski]. -
Rostock : Hinstorff, 1995
ISBN 3-356-00630-4
NE: Dahlenburg, Birgit [Hrsg.]; HST

# Vorwort

*Im Geschichtlichen kann
das Gegenwärtige sich wiedererkennen
durch das Bleibende*

Karl Jaspers

Zum wirklichen Verständnis einer mehr als 500 Jahre alten Stätte der Lehre und Forschung, das auch dem Bestimmen ihrer Zukunft dient, gehört die Kenntnis ihrer geschichtlichen Entwicklung und ihrer Kulturgüter. Gerade in einer Zeit sehr tiefgreifender Wandlungen im Hochschulwesen ist die Besinnung auf die Vergangenheit der Ernst-Moritz-Arndt-Universität Greifswald, auf ihre Traditionen und ihre kulturellen Werte von großer Bedeutung. Erst die Besinnung ermöglicht den Menschen, die über längere Zeiten tragfähigen Neuerungen von denen zu unterscheiden, die nur Moden des Zeitgeistes sind.

Die vorliegende Publikation will dazu einen Beitrag leisten, indem sie erstmals einen zusammenfassenden Überblick der Kunst- und Kulturschätze sowie der wissenschaftlichen Sammlungen gibt, die die Ernst-Moritz-Arndt-Universität Greifswald ihr eigen nennt und pflegt. Es ist ein Anliegen der Autoren, die Mitglieder und Angehörigen sowie Freunde der Ernst-Moritz-Arndt-Universität Greifswald über die außerordentliche Vielfalt der Sammlungsbestände zu informieren, mögen diese aus dem Bereich der Kunst oder der Wissenschaften stammen.

Allen, die zum Erscheinen dieses Werks beigetragen haben, ist zu danken. Zu diesem Kreis gehören vornehmlich die auf der Impressumsseite aufgeführten Autoren der einzelnen Beiträge, namentlich Frau Dr. Dahlenburg als Koordinatorin, und nicht zuletzt auch die Gesellschaft der Freunde und Förderer der Ernst-Moritz-Arndt-Universität sowie die Rats- und Universitätsbuchhandlung Greifswald, ohne deren finanzielle Unterstützung die Drucklegung nicht möglich gewesen wäre.

Prof. Dr. jur. J. Kohler
Rektor
Greifswald, im August 1995

# Einleitung

Die periphere Lage im äußersten Nordosten Deutschlands, die familiäre Studienatmosphäre mit ca. 5 000 Studenten und 200 Professoren wie auch der Studienbetrieb in historischen Gebäuden heben die Universität Greifswald heute von dem vielfach anzutreffenden Massenbetrieb anderer Hochschulen ab. Im sechsten Jahrhundert ihres Bestehens kann die Hohe Schule auf eine traditionsreiche Geschichte zurückblicken. Bis 1945 größte Grundbesitzerin unter allen deutschen Universitäten, verfügt sie noch heute über umfangreiche und wertvolle Kunst- und Kulturschätze.

Die alma mater am Greifswalder Bodden ist seit Jahrhunderten Brücke nach Norden und in das Baltikum. Aus ihrer Nähe zur Ostsee und unter dem Einfluß der Hanse entwickelten sich bereits in der Frühzeit ihres Bestehens intensive Beziehungen zu nord- und osteuropäischen Ländern, die alle Herrschaftssysteme überdauert haben. So gibt es bis heute gute Verbindungen zu den Universitäten in Polen, in den Baltischen Republiken, zu Hochschulen in Rußland sowie natürlich in Schweden und den anderen skandinavischen Staaten.

Die alma mater gryphiswaldensis wurde 1456 als die Landesuniversität von Pommern gegründet. Die zweitälteste Hochschule im Ostseeraum war von jeher nicht nur Stätte der Wissenschaften und Lehre, sondern auch Ort der Kulturpflege. Wie alle alten Universitäten von hohem Ansehen besitzt sie neben der Kunstsammlung wertvolle Archivalien und Bibliotheksbestände. Bereits mit der Universitätsgründung wurde der Grundstein für eine Kunstsammlung gelegt, die heute zum Teil außergewöhnliche Gegenstände der Textilkunst, des Kunsthandwerks, der Malerei und der Plastik enthält. Darunter befindet sich eine Reihe von Stiftungen aus dem pommerschen Herzoghaus. Sie dokumentiert auf ihre Art die enge Beziehung, die die Hohe Schule in den ersten drei Jahrhunderten ihres Bestehens zum Greifengeschlecht hatte, dessen Mannesstamm 1637 mit dem Tod von Bogislaw XIV. erlosch.

Zehn wissenschaftliche Sammlungen einzelner Institute und ein Botanischer Garten geben Einblick in die Entwicklung einzelner Wissenschaftsdisziplinen bzw. Forschungsgebiete der Greifswalder alma mater. Die Geschichte des Universitätsarchivs reicht bis in die Anfangszeit der Hochschule zurück. Die Universitätsbibliothek wird als Einrichtung erstmals 1604 genannt, als der Wittenberger Buchhändler Selfisch einen Vertrag über die Lieferung neuer wissenschaftlicher Werke abschließt. Bereits seit dem Ende des 18. Jahrhunderts wird ein akademisches Museum der Anatomie erwähnt. Es folgt die Gründung weiterer musealer Einrichtungen der Zoologie und Geologie im 20. Jahrhundert, die bis heute über eine universitäre Nutzung hinaus bei in- und ausländischen Besuchern Beachtung finden.

Nicht nur die sich aus dem Zweck der Lehre und Forschung ergebende besondere Darstellung der Sammlungsstücke ist interessant, sondern gleichermaßen ihr Ambiente. Die in Hörsälen und Seminarräumen aufgestellten alten Holzvitrinen enthalten beispielsweise seltene anatomische Präparate, ausgestopfte Vögel oder Gesteine. Die Sammlungen werden in die Ausbildung der Studenten einbezogen bzw. durch Forschungsarbeiten ständig erweitert.

40 Jahre Diktatur der Staats- und Parteiführung in der DDR führten mehr oder weniger zu einer Politisierung der Wissenschaften. In diesem Zusammenhang erfolgte auch an der Ernst-Moritz-Arndt-Universität eine Neuorientierung im Umgang mit den Sammlungen und dem kulturellen Erbe, das eng mit der Geschichte Pommerns verbunden ist. Nach der 3. Sozialistischen Hochschulreform 1968 durften mit Ausnahme der Rektorkette die Amtsinsignien des Rektors und die Talare nicht mehr getragen werden. Umbenennungen setzten in den fünfziger Jahren ein: So trug die „Geologische Landessammlung von Pommern" zeitweise die Bezeichnung „Geologische Landessammlung von Ostmecklenburg".[1] Die seit 1680 in einem zehnjährigen Rhythmus an der Universität stattfindenden Croy-Gedenkfeiern für die Pommernherzöge, aus deren Anlaß der berühmte Croy-Teppich ausgestellt wurde, fanden während der DDR-Zeit bewußt keine Weiterführung. Pommersche Überlieferung und pommersches Identitätsbewußtsein wurden zunehmend eliminiert.[2] Bereits 1947 war die Bezeichnung „Pommern" aus dem offiziellen Sprachgebrauch gestrichen worden, hing sie doch mit einem ehemaligen ostdeutschen Gebiet zusammen. In den 80er Jahren entwickelten sich neue Momente im Umgang mit den Sammlungen und Kulturgütern pommerscher Provenienz. So veranstaltete das Ausstellungszentrum der Universität eine Reihe von Expositionen zu Institutssammlungen.[3] Eine Präsentation des Croy-Teppichs fand nach langer Zeit wieder anläßlich der 525-Jahrfeier der Ernst-Moritz-Arndt-Universität 1981 in Greifswald und des 500. Geburtstags Martin Luthers in Berlin statt.

Im Juni 1989, noch vor dem Zusammenbruch des DDR-Systems, wurde an der Universität eine Kustodie gegründet, die bis heute für die Inventarisierung, Erhaltung, Pflege und wissenschaftliche Aufarbeitung der akademischen Kunstsammlung sowie für denkmalpflegerische Belange zuständig ist.

1. Heinrich Rubenow (1462 ermordet)
Jurist, Bürgermeister von Greifswald und erster Rektor der Universität. Auf sein Betreiben wurde die Hohe Schule 1456 gegründet. Er schuf Grundlagen, die solide genug waren, um die alma mater gryphiswaldensis in den folgenden Jahrhunderten zu einer bedeutenden Bildungsstätte an der Ostseeküste werden zu lassen.

2. Ernst Moritz Arndt (1769 - 1860)
Gemälde von Amatus Roeting
Arndt, in Groß Schoritz auf der Insel Rügen als Sohn eines ehemaligen Leibeigenen geboren, war zwischen 1800 und 1811 als Adjunkt und Geschichtsprofessor an der Greifswalder Universität tätig. Seit 1933 ist er ihr Namenspatron.

11

# Kurze Chronik der Universität Greifswald

| | |
|---|---|
| 1456 | Auf Betreiben des Greifswalder Bürgermeisters Heinrich Rubenow wird die alma mater gryphiswaldensis als Pommersche Landesuniversität und zweitälteste Hohe Schule im Ostseeraum gegründet. Ihre Entstehung verdankt sie der Rivalität zwischen den Herzögen von Pommern und Mecklenburg sowie tatkräftiger bürgerlicher Initiativen. Begünstigt durch die geographische Lage und den Einfluß der Hanse entwickeln sich schnell intensive Beziehungen zu den nordischen Nachbarländern. |
| 1539 | Nach einer 13 Jahre andauernden Existenzkrise infolge der Reformationswirren wird unter Herzog Philipp I. von Pommern-Wolgast die Hohe Schule neu eröffnet. Die Neueinrichtung nach Wittenberger Vorbild erfolgt unter maßgebender Beteiligung Johann Bugenhagens. |
| 1604 | Gründung der Universitätsbibliothek |
| 1625 | Hochblüte der Universität mit mehr als 300 Studenten und 15 Professoren |
| 1634 | Zum Ausgleich für die erlittenen Schäden im 30jährigen Krieg schenkt der letzte Pommernherzog, Bogislaw XIV., der Universität das Amt Eldena mit 24 Dörfern und einer landwirtschaftlichen Nutzfläche von 14 500 Hektar. Bis in die zweite Hälfte des 19. Jahrhunderts ist die Hochschule somit finanziell selbständig und bis 1945 größte Grundbesitzerin unter allen deutschen Universitäten. |
| 1638 | Nach dem Tod Bogislaw XIV. wird die Regierungsgewalt durch Schweden übernommen, dessen Wissenschaftspolitik die Universität bis 1815 prägt. Während der 178 Jahre andauernden „Schwedenzeit" stellt die Schule eine wichtige Kulturbrücke zwischen Deutschland und dem skandinavischen Nachbarland dar. |
| 1747 - 1750 | Errichtung des heutigen spätbarocken Universitätshauptgebäudes durch Andreas Mayer |
| 1800 - 1811 | Ernst Moritz Arndt, seit 1933 Namenspatron der Universität, wirkt als Adjunkt und Professor für Geschichte in Greifswald. |
| 1815 | Nach dem Wiener Kongreß fällt Vorpommern an Preußen, und die Greifswalder Schule wird älteste preußische Landesuniversität. |
| 1856 | Zur 400-Jahrfeier der Universität wird das Rubenowdenkmal eingeweiht. Zugleich erfolgt die Grundsteinlegung für Klinikbauten in der Loefflerstraße. In der zweiten Hälfte des 19. Jahrhunderts entwickelt sich die Hohe Schule zu einer mo- |

dernen universitas litterarum. Höchste Wertschätzung gilt der Medizinischen Fakultät sowie der sogenannten Greifswalder Schule der Theologie.

| | |
|---|---|
| 1887 | Erstmals sind mehr als 1000 Studenten immatrikuliert. |
| 1933 | Nach der Machtübernahme durch die Nationalsozialisten wird der Weggang mehrerer fortschrittlicher Professoren und Studenten betrieben. |
| 1945 | An der kampflosen Befreiung von Greifswald sind neben dem Stadtkommandanten Rudolf Petershagen die Professoren Gerhard Katsch und Carl Engel beteiligt. Durch die Bodenreform wird in der Folgezeit der gesamte Grundbesitz der Hochschule enteignet. |
| 1946 | Nach einer kurzzeitigen Schließung der Universität durch die sowjetische Militäradministration erfolgt ihre Wiedereröffnung, allerdings ohne die Rechtswissenschaftliche Fakultät. |
| ab 1949 | Während der DDR-Zeit wird mit drei Hochschulreformen versucht, auch in Greifswald eine sozialistische Universität zu schaffen. Die freiheitliche Entwicklung von Lehre und Forschung erfährt z. T. starke Behinderungen. |
| ab 1989/90 | Seit dem politischen Umbruch wird die alma mater personell und strukturell erneuert. Ein markanter Punkt dieses Prozesses ist die Wiedereröffnung der Rechts- und Staatswissenschaftlichen Fakultät 1991. |

Die Universität ist im Begriff, an ihre hervorragenden wissenschaftlichen Traditionen anzuknüpfen. Zum Lehrkörper gehörten bedeutende Wissenschaftler wie der Theologe Victor Schultze (1883 - 1937), der Jurist Bernhard Windscheid (1852 - 57), die Mediziner Friedrich Loeffler (1888 - 1919), Ernst Ferdinand Sauerbruch (1905 - 07), der Nobelpreisträger Gerhard Domagk (1923 - 25), Gerhardt Katsch (1928 - 57), der Historiker Adolf Hofmeister (1921 - 56), der Klassische Philologe Ulrich von Wilamowitz-Moellendorff (1876 - 83) und der Nobelpreisträger für Physik Johannes Stark (1917 - 22).

# The University of Greifswald: a brief chronology

| | |
|---|---|
| 1456 | On the initiative of the Mayor of Greifswald, Heinrich Rubenow, the alma mater gryphiswaldensis is founded as the state university of Pomerania and the second oldest institution of higher education in the Baltic region. The University owes its creation to the rivalry between the dukes of Pomerania and Mecklenburg and vigorous campaigning on the part of the citizens. Intensive contacts with the neighbouring Nordic countries quickly develop, favoured by Greifswald's geographical position and the influence of the Hanseatic League. |
| 1539 | After thirteen years of crisis in which its very existence is in jeopardy as a result of the confusion created by the Reformation, the University re-opens under duke Philipp I of Pomerania-Wolgast. Johann Bugenhagen plays a decisive part in the reconstitution of the University according to the Wittenberg model. |
| 1604 | Foundation of the University Library |
| 1625 | The University reaches its zenith with 300 students and 15 professors. |
| 1634 | In compensation for the damage suffered during the Thirty Years' War, the last duke of Pomerania, Bogislaw XIV, presents the University with the benefice of Eldena with 24 villages and 14,500 hectares of farmland. As a result the University is financially independent until the second half of the 19th century and remains the greatest landowner among German universities until 1945. |
| 1638 | After the death of Bogislaw XIV governmental power passes to Sweden and that country's educational policy shapes the University until 1815. During the 178 years of the 'Swedish period' the University is an important cultural bridge between Germany and its Scandinavian neighbour. |
| 1747 - 1750 | Erection of the present baroque University Main Building by Andreas Mayer |
| 1800 - 1811 | Ernst Moritz Arndt, whose name the University has borne since 1933, works in Greifswald as adjunct and professor of History. |
| 1815 | After the Congress of Vienna West Pomerania passes to Prussia and Greifswald becomes the oldest Prussian state university. |
| 1856 | The Rubenow Monument is unveiled during the 400th anniversary celebrations of the University's foundation. At the same time the foundation stone of the hospital buildings in Loefflerstrasse is laid. In the second half of the 19th century the Univer- |

sity develops into a modern universitas litterarum. The Faculty of Medicine and what is known as Greifswald school of theology enjoy the greatest esteem.

1887      The number of students exceeds 1,000 for the first time.

1933      After the Nazis come to power a number of progressive professors and students are removed.

1945      The town commandant, Rudolf Petershagen, together with professors Gerhard Katsch and Carl Engel, neotiates the liberation of Greifswald without a battle. As a result of the land reform the University's landed property is subsequently expropriated.

1946      After the temporary closure of the University by the Soviet military administration it is re-opened, though without the Law Faculty.

from 1949   During the period of the German Democratic Republic three university reforms are carried out with the aim of creating a socialist university, also in Greifswald. The free development of teaching and research is impeded, in some cases seriously.

from 1989/90  Since the political upheaval the alma mater has entered a period of staff and structural renewal. A salient feature of this process is the re-opening of the Faculty of Law and Political Science in 1991.

The University is in the process of picking up the threads of its outstanding scientific traditions. The teaching staff of the University has included such important scholars as the theologian Victor Schultze (1838 - 1937), the jurist Bernhard Windscheid (1852 - 57); the medicins Friedrich Loeffler (1888 - 1919), Ernst Ferdinand Sauerbruch (1905 - 07), the Nobel-prize winner Gerhard Domagk (1923 - 25), Gerhardt Katsch (1928 - 57), the historian Adolf Hofmeister (1921 - 56), the classical philologist Ulrich von Wilamowitz - Moellendorf (1876 - 83) and the Nobel-prize winner for physics Johannes Stark (1917 - 1922).

# Der akademische Kunstbesitz

Mit der Gründung der Greifswalder Universität beginnt die Geschichte ihres Kunstbesitzes. Wartislaw IX., Herzog von Pommern-Wolgast, schenkte anläßlich der Eröffnungsfeier in der Kirche St. Nikolai am 17. Oktober 1456 dem zum ersten Rektor gewählten Heinrich Rubenow zwei Szepter. Drei Jahre später stifteten kirchliche und weltliche Personen ein weiteres, kleines Szepterpaar.

Der Gönnerschaft fürstlicher und privater Personen, deren sich die pommersche Hochschule in hohem Maße erfreute, verdankt sie viele und vor allem ihre wertvollsten Kunstgegenstände. So ist die Geschichte des Kunstbesitzes aus sechs Jahrhunderten auf das engste mit den Beziehungen einzelner Persönlichkeiten zur Universität verflochten.

Im 15. und 16. Jahrhundert hatten die Kunstgegenstände der Universität einen ausschließlich zweckgebundenen Charakter. Die Szepter als Hoheitszeichen wurden dem jeweiligen Rektor bei feierlichen akademischen Akten vorangetragen. Die Siegel dienten vornehmlich dazu, Rechtsakte der Universität oder der Fakultäten zu bestätigen. Trinkgeschirre aus Metall, welche die Hochschule früher besaß, waren wegen akademischer Promotionsgebräuche erforderlich.

Im 17. und 18. Jahrhundert erlangte die Universität durch herzogliche Schenkungen kostbare Kunstwerke. Darunter befinden sich der berühmte Croy-Teppich und einige Rektorinsignien. Auch wenn sie unter kunstgeschichtlichem Blickwinkel nicht alle zu herausragenden Beispielen ihrer Zeit gehören, so sind sie als Geschichtsdenkmäler für die alma mater von großem Wert und z. T. einmalig. „Wohl aber haben sie in ihrer Erscheinung wie in ihrer Geschichte den Vorzug einer außergewöhnlichen anziehenden Einzigartigkeit"

*3. Großes Universitätssiegel*
*von 1456*

so formulierte es 1896 Victor Schultze, Professor für Kirchengeschichte und Christliche Archäologie in Greifswald.[4]

1637, nach dem Aussterben des pommerschen Herrscherhauses, begann für die Universität und Vorpommern die sogenannte Schwedenzeit. 178 Jahre unter der schwedischen Regierung sicherten nicht nur den Bestand der Hohen Schule.[5] Sichtbarer Ausdruck der damaligen Förderung von Wissenschaft und Kultur ist noch heute das palaisartige Universitätshauptgebäude, welches Mitte des 18. Jahrhunderts errichtet wurde. In dem Giebeldreieck über dem Risalit der Nordfassade befand sich ursprünglich einmal das schwedische Königswappen. Eine im Eingang II befindliche marmorne Gedenktafel erinnert noch heute an die Errichtung und feierliche Einwei-

16

hung des Kollegiengebäudes unter der Herrschaft der schwedischen Monarchen Friedrich und Adolf Friedrich.

Wie alle traditionsreichen Universitäten besitzt auch die Greifswalder eine Bildnissammlung. Sie besteht zum überwiegenden Teil aus Porträts von Gelehrten, aber auch von königlichen und herzoglichen Personen. Einst in der Bibliothek aufbewahrt, befinden sich die Bildnisse heute als Wandschmuck in verschiedenen Räumen, u. a. in der barocken Aula, im Konzil- und im Rektorzimmer.

Der größte Zugang an Gemälden war während der Schwedenzeit zu verzeichnen. Die Ursprünge der Sammlung lassen sich bis in das 17. Jahrhundert zurückverfolgen. In der ersten Hälfte des 19. Jahrhunderts entstand, wohl in Zusammenhang mit der Umgestaltung des kleinen Hörsaals zum Konzilzimmer im Universitätshauptgebäude, eine bedeutende Gemäldegalerie. Der norddeutsche Künstler Wilhelm Titel porträtierte 32 Greifswalder Rektoren und Dekane. Die in der deutschen Malerei dieser Zeit seltene Bildnisgalerie stellt den kunsthistorisch wertvollsten Bestand innerhalb der Gemäldesammlung der Ernst-Moritz-Arndt-Universität dar. Die Zahl der Werke ist erfreulicherweise bis ins 20. Jahrhundert erhöht worden, wobei allerdings keine fortlaufende Ergänzung stattgefunden hat. Jahre intensiver Vermehrung des Besitzes wechselten mit Perioden des Stillstands ab.

Von unterschiedlichem kunstgeschichtlichen, aber meist großem ideellen Wert sind Werke, die anläßlich akademischer Feierlichkeiten, durch Schenkung, Ankauf oder auf unbekanntem Wege an die Universität gelangt sind. Dazu gehören zum Beispiel der Estherteppich, der Lutherbecher, der Rektorstuhl, ein kleines niederländisches Madonnenbild und diverse andere Gemälde. Sehr sporadisch erfolgte der Erwerb bzw. die Sammlung von Kunstgegenständen im 20. Jahrhundert. Zwei Weltkriege, vor allem der letzte, wirkten sich negativ auf das akademische Leben aus und hinterließen Spuren auch in der Kunstsammlung. 1937 zog die Reichskunstkammer zudem 14 Kunstwerke aus der Grafischen Sammlung, darunter Arbeiten von Ernst Barlach, Otto

Dix und Emil Nolde, als „entartet" ein. Um wertvolle Kunstwerke vor einer möglichen Zerstörung zu bewahren, kam es auf Betreiben des damaligen Kurators kurz vor Kriegsende zu einer Auslagerung. Zunächst nach Lübeck, später in das große Kunstgutlager Celle transportierte man die in Greifswald wie Heiligtümer verehrten Croy- und Estherteppiche, des weiteren die auf Anregung des preußischen Königs Friedrich Wilhelm IV. angefertigte Kopie des Rektormantels und andere wertvolle Gegenstände. Die beiden Gobelins konnten 1956 zur 500-Jahrfeier der Ernst-Moritz-Arndt-Universität wieder zurückgeführt werden. Andere ausgelagerte Güter, etwa die Antiken- und Münzsammlung sowie verschiedene Gemälde, kehrten erst 1989 im Rahmen des Austausches von Kulturgut zwischen der BRD und der DDR nach Greifswald zurück.

Während der DDR-Zeit wurde die Kunstsammlung vor allem um Auftragsarbeiten einheimischer Künstler zur Ausgestaltung von Universitätsgebäuden erweitert.[6] 1972-1976 malte Wolfgang Frankenstein (geb. 1918) das monumentale Wandbild im Foyer der neuen Mensa am Wall. Das fünfteilige Montagegemälde ist wegen seines Themas „Studenten in der sozialistischen Gesellschaft" und der Darstellung im Stil des sozialistischen Realismus nicht unumstritten.

1993 hat die Universität an die seit Jahrzehnten unterbrochene Tradition der Porträtierung von Wissenschaftlern angeknüpft. Mit dem Bildnis des Alttestamentlers Prof. Hans-Jürgen Zobel hat das jüngste Werk seit 1994 im Rektorat seinen Platz gefunden.

17

## The University's art treasures

The story of the University's art treasures begins in the year it was founded, when the Pomeranian duke Wartislaw IX presented a large pair of sceptres to the first Rector. Three years later a group of churchmen and laity donated a second pair.

In the 15th and 16th centuries the University's art treasures were purely utilitarian in character (sceptres signifying the authority of the University; seals as the confirmation of legal acts; drinking vessels for doctoral-degree celebrations). In the 17th and 18th centuries the University received ducal gifts of valuable works of art. Even though they did not represent the acme of artistic endeavour in their age they are unique artistic and historical monuments for the alma mater. During the 178 years of Swedish rule science and the arts were promoted at the University. A visible expression of this is the College building erected in the middle of the 18th century and still standing today (University Main Building). In 1815, after Pomerania and the University had passed into Prussian hands, a series of commissioned paintings by the artist Wilhelm Titel brought a significant addition to the existing portrait gallery of Greifswald professors. The University received many works of art as gifts from dukes or kings, also on the occasion of jubilees or visits. During the GDR period the University's art collection was extended above all by works commissioned to decorate University buildings. The most valuable items in the collection are the Croy Tapestry and the Rector's insignia of office.

# Die Amtsinsignien des Rektors und ihre Beziehung zum pommerschen Herzoghaus

Als Korporationen besaßen die Universitäten seit ihren Anfängen verschiedene Hoheitsrechte, so vor allem die akademische Gerichtsbarkeit und das Graduierungsrecht. Dieser Sonderstatus fand auch an der Greifswalder Gelehrtenschule seinen Ausdruck in der Benutzung von Hoheitszeichen. Zu ihnen gehören die Amtsinsignien des Rektors, die in den ersten Jahrhunderten einen Mantel und vier Szepter umfaßten. In späterer Zeit, jedoch nicht vor der Mitte des 19. Jahrhunderts, kamen eine goldene Halskette und ein Ring hinzu.[7]

Alle Greifswalder Rektorinsignien weisen eine Verbindung zum pommerschen Herrscherhaus auf: Donator des großen Szepterpaares war Wartislaw IX., an der Restaurierung bzw. der Neuanfertigung der kleinen Szepter beteiligte sich Philipp I., der Rektormantel ist eine Schenkung von Philipp Julius, Bogislaw XIV. war einst Besitzer des Siegelringes, und die Goldkette ließ Herzog Ernst von Croy anfertigen, der mit der Schwester des letzten Pommernherzogs verheiratet war. Die Schenkungen dieser Repräsentations- und Gebrauchsgegenstände belegen, daß das Greifengeschlecht der pommerschen Landesuniversität zugetan war. Insbesondere nach 1539, als eine Umgestaltung des Lehrbetriebes auf der Grundlage der Reformation stattgefunden hatte, standen die Herzöge in einem sehr engen Verhältnis zu der Hochschule.[8] Die Fürsten nahmen stärker Einfluß auf Berufungsangelegenheiten und ließen auch einige ihrer Kinder in Greifswald studieren.

Die ältesten Teile der Amtsinsignien des Rektors bilden die beiden Szepterpaare. Das **spätgotische große Szepterpaar** aus dem Jahr 1456 galt im Unterschied zu Fakultätsszeptern anderer Hochschulen als Hoheitszeichen der gesamten Universität und des jeweiligen Rektors.

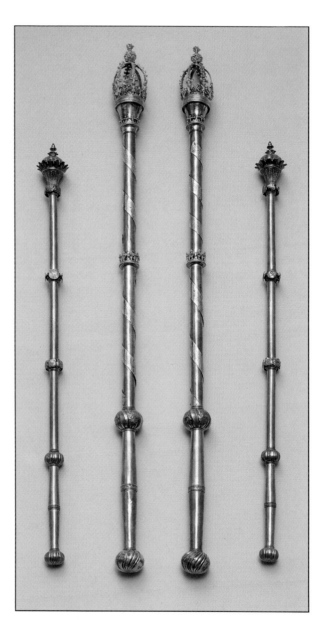

4. Szepter der Universität:
Großes Szepterpaar von 1456, Silber, zum Teil vergoldet,
112 cm Länge;
Kleines Szepterpaar von 1459/1547, Silber,
87 cm Länge

19

'Die beiden hohlen Silberstäbe sind von einem vergoldeten, in vier Streifen zerschnittenen Inschriftenband umzogen. Die bei einer Restaurierung in Unordnung geratene Inschrift lautet, soweit sie leserlich ist:

*„[Anno] domini MCCCLVI prima die dominica post festum sancti Galli fuit primo erecta alma universitas [...] Dominus noster Calistus papa tercius nostram instituit universitatem et dominus noster Henninghus episcopus camine (nis) [...] princeps noster dux Wartslaus istos baculos alme sue universitati donav(it) [...] fuit dominus Hinricus Rubenow utris que juris doctor et proconsul [rector ...] per dominum [...]"*

Sie nennt die Persönlichkeiten, die großen Anteil an der Gründung der Universität hatten: Papst Calixtus III. und der Diözesanbischof Henning von Cammin, der pommersche Landesfürst Wartislaw IX. als Stifter der Szepter und außerdem Rubenow.

An den Szepterstäben fassen unten zwei spiral gerillte Knäufe einen gewellten Griff ein, der an seiner dicksten Stelle von einem Reif umschlossen ist. Darüber werden die Stäbe durch jeweils

*5. Wappenschild vom Wolgaster Herzog Philipp I.
an einem der kleinen Szepter (1547)*

zwei vergoldete Kronenreifen in gleiche Abschnitte geteilt. Über dem in einer Halbkugel endenden Kelch erhebt sich eine Krone mit Kreuzbügeln, die eine Filigrankugel halten.

Die Szepter wurden von Rubenow im Auftrage seines Landesfürsten in Herstellung gegeben und kosteten 75 Rheinische Gulden. Auf Grund ihrer Ähnlichkeit mit französischen Königsstäben und englischen Szeptern können sie als Arbeit eines westeuropäischen Goldschmiedes gelten. Vergleichbare Exemplare sind die englischen „maces", Szepter in Bourough of Hedon und in St. Andrews.[9]

Drei Jahre nach Eröffnung der alma mater schenkten die Äbte der Klöster Neuenkamp, Eldena und Pudagla sowie Rubenow und einige Hochschullehrer ein **kleineres Szepterpaar**. Es besteht ebenfalls aus hohlen Silberstäben, an deren Enden sich Knäufe mit getriebener Riffelung befinden. Bereits 1547 mußte eines der kleinen Szepter repariert und das verlorengegangene Gegenstück nach diesem Vorbild neu hergestellt werden. Die wahrscheinlich in diesem Zusammenhang geschaffenen Bekrönungen tragen bereits Renaissancecharakter.[10] Kelch und Halbkugel sind mit Kannelüren geschmückt; an die Stelle der Kreuzbügelkrone wurde ein einfacher Blattkranz gesetzt und auf die Halbkugel eine ballusterartige Spitze. An beiden Szeptern befinden sich 32 Wappen. Eines davon ist ausgebrochen. Jene, die an gebuckelten Ringen befestigt wurden, sind die Wappen der Fürsten und adligen Familien, welche das benötigte Silber für die Wiederherstellung bzw. Neuanfertigung zur Verfügung stellten. Die Zahl der Stifter betrug nur 26. Der Pommernherzog Philipp I. und der Bischof von Cammin sind jeweils mit vier Wappen vertreten.[11]

Bemerkenswert ist die Tatsache, daß die kleinen Szepter nicht einmal 90 Jahre in Gebrauch waren und, wie erwähnt, eins bereits früh erneuert werden mußte, das andere zu diesem Zeitpunkt schon abhanden gekommen war. Es ist von anderen Universitäten bekannt, daß die Pedelle die Szepter nicht nur zu repräsentativen Anlässen trugen, sondern auch zur Aufrechterhaltung der

6. Kopie der Rubenowtafel

*Das originale Votivbild (um 1460) befindet sich heute im Greifswalder Dom St. Nicolai. Es zeigt Heinrich Rubenow (links) mit sechs Rostocker Freunden und Professoren zur Zeit der Universitätsgründung.*

Ordnung einsetzten. Obwohl es sich um silberne Goldschmiedearbeiten handelte, wurden sie gelegentlich ähnlich einem heutigen Gummiknüppel gehandhabt. So ist es auch zu erklären, warum Akten immer wieder von der Reparaturbedürftigkeit der Szepter berichten.[12]

Zu akademischen Feierlichkeiten war schon in der Gründungszeit der alma mater gryphiswaldensis neben den Szeptern ein **Rektortalar** in Gebrauch. Über den Ornat in seiner ursprünglichen Gestalt geben das große Universitätssiegel von 1456 und die im Dom St. Nicolai befindliche Rubenowtafel aus der Zeit um 1460 Auskunft.

Der Rektor ist auf diesen Abbildungen mit einem langen, bis auf die Füße reichenden faltigen Untergewand bekleidet. Auf der Schulter liegt ein kurzer, am Rande und am Halsschluß verbrämter Überwurf, das pallium rectorale. Auf dem Haupt trägt er ein Barett in Halbkugelform. Diesen wohl im Laufe der Zeit verschlissenen Rektormantel ersetzte der an Wissenschaft und Kunst interessierte Herzog Philipp Julius (gest. 1625) durch einen neuen. 1619 stiftete der letzte Wolgaster Fürst einen kunstvoll gestickten spanischen Radmantel, der bis 1854 getragen wurde und mit Unterbrechungen seit 1945 wieder in Gebrauch ist.

Der kreisförmige Umhang besteht aus rotem Seidensamt mit einer reichen Gold- und Silberstickerei in Spreng- und Anlegetechnik.

Die mit zierlichen Interpunktionen am Rande durchsetzte Widmungsinschrift nennt die Titel des Donators und das Stiftungsjahr:

*„PHILIPPUS IULIUS DEI GRATIA DVX STETINI POMERANIAE CASSVBIORUM ET VANDALORUM, PRINCEPS RVGIAE, COMES GVTZKOWIAE, LEOBVRGENSIVM AC BVTOVIENSIVM DYNASTA, VESTEM HANC RECTORALEM UNIVERSITATI SVAE GRIPHISWALDENSI DONAVIT ANNO 1619".*

Die kostbarsten Partien befinden sich an der Stelle, wo der Mantel vorne geschlossen wird.

21

*7. Rektormantel, 1619*
*Gold- und Silberstickerei auf Seidensamt; Durchmesser 142 bis 158 cm.*
*Der Ornat ist eine Stiftung des Herzogs Philipp Julius von Pommern-Wolgast.*

22

Auf einem ca. 12 cm breiten Saum ruhen acht Wappen, die durch ein anmutiges Pflanzengewinde umkränzt werden. Ein neuntes ist auf die Mantelrückseite gestickt. Es sind die Wappen aus dem neunfeldrigen herzoglich-pommerschen Wappenschild, wie es seit der Zeit von Bogislaw X. geführt wurde: links Pommern, Cassuben, Schlawe (Usedom) Wolgast und rechts Stettin, Wenden, Rügen und Barth. Auf der Mantelrückseite befindet sich das Wappen der Grafschaft Gützkow.

Die Darstellungen halten sich nicht exakt an heraldische Vorlagen. Aus Gründen der Symmetrie und Ästhetik sind die Wappentiere, der Vogel Greif in verschiedenen Variationen, einander zugewandt.

Die mit Gold-, Silber- und Seidenfäden in vielfältigen Stichformen überzogenen Wappenreliefs treten außerordentlich plastisch hervor. Der Mantel ist ein Werk des Stralsunder Perlenstikkers Henrich Möller, der für 95 Reichstaler noch eine Reihe anderer Arbeiten für den Herzog anfertigte. In einer Überlieferung heißt es, daß die Gemahlin von Philipp Julius, die brandenburgische Prinzessin Agnes, an der Ausführung der Stickerei beteiligt gewesen sei.[13] 1969 und 1994/95 fanden sorgsame Konservierungen und Restaurierungsmaßnahmen durch die Potsdamerin Helene Ebner von Eschenbach und deren Tochter Frederike in der von-Veltheim-Stiftung beim Kloster Marienberg in Helmstedt statt. In Deutschland existiert nur noch ein vergleichbarer Radmantel aus dem Beginn des 17. Jahrhunderts mit Gold- und Silberstickerei – der des sächsischen Kurfürsten Johann Georg I. Er wird in der Rüstkammer der Dresdner Kunstsammlung aufbewahrt.

1854 erhielt die nun älteste Landesuniversität von Preußen eine neue Rektoramtstracht aus Berlin. Als Vorlage diente in Form, Größe und Dekoration der alte Radmantel, doch wurde in den Ausführungen die dekorative Feinheit nicht erreicht. Der neue Ornat war mit einer anderen Inschrift versehen, die den Namen Fridericus Guilimus und das Stiftungsjahr 1853 nennt. Es ist dem preußischen König Friedrich Wilhelm IV. zu verdanken, daß der herzogliche Radmantel nicht als altmodisch und verschlissen ausgesondert, sondern sein Kunstwert erkannt wurde. Der preußische Monarch hatte in Zusammenhang mit der allgemeinen Neuordnung der akademischen Roben 1853 die Anweisung gegeben, daß der Rektormantel aus dem 17. Jahrhundert „wie bisher so auch ferner sorgsam konserviert"[14] und zur jeweiligen Inauguration des Rektors getragen werde.

Nach über 20 Jahren Unterbrechung hat die Ernst-Moritz-Arndt-Universität 1990 diese alte Tradition wieder aufgegriffen, so daß die heute älteste und schönste Rektoramtstracht wieder in Benutzung ist. Victor Schultzes Worte von 1906 haben wohl auch heute ihre Gültigkeit nicht verloren: „Die Wirkung des Prachtgewandes ist eine außerordentliche und wird durch keine Rektorrobe anderer Universitäten auch nur annähernd erreicht."[15]

*8. Gesticktes Wappen des Fürstentums Rügen auf der Vorderseite des Radmantels*

23

*9. Amtskette des Rektors, um 1620,*
*Gold, Rubine, Diamanten*

24

Der später noch zu erwähnenden Hinterlassenschaft des Ernst Bogislaw von Croy entstammten die goldene **Amtskette des Rektors** und ein goldener **Siegelring**. Die beiden Goldschmiedearbeiten sind um 1620 entstanden. Der Siegelring befand sich einst im Besitz von Bogislaw XIV.

Der schwarz emaillierte Goldreif umschließt einen Saphir, in dem das neunfeldrige Pommernwappen und drei Helme eingraviert sind. Zwischen der Helmzier liegen die Buchstaben

B H Z
S    P,

d. h. Bogislaw Herzog zu Pommern. Das Daumenpetschaft des Ringes nutzte er vor allem zur Beglaubigung seiner Korrespondenzen.

Zur Erinnerung an ihre Hochzeit im Jahre 1619 ließen Anna von Pommern, Schwester des Bogislaw, und Ernst von Croy ein ovales Medaillon prägen. Es ist von schwarz emailliertem Goldfiligran mit acht Edelsteinen eingefaßt, die Rubine und Diamanten sind abwechselnd gestellt. Der Avers zeigt die Brustbilder der beiden Eheleute mit der Umschrift : „ERNESTUS A CROI ET ANNA A POMERANIA". Rückseitig sind als Symbol für die Eheschließung zwei verschlungene Hände vor einem Palmenzweig abgebildet, über dem ein beflügeltes Engelsköpfchen schwebt.

Die Umschrift lautet: „NON E SOLO SED E CAELO" (Nicht von der Erde, sondern vom Himmel). Die Goldschmiedearbeit ist als Gnadenpfennig angefertigt worden. So ist zu erklären, daß sich weitere Exemplare im Muzeum Narodowe in Szczecin/Polen und im Münzkabinett des Kunsthistorischen Museums Wien befinden. Die Universität Greifswald verfügt ferner über eine gute Kopie, die in der Regel vom Rektor benutzt wird, um das Original zu schonen.

*The Rector's insignia of office and their connection with the ducal house of Pomerania*

*From their inception the universities, as corporations, enjoyed various sovereign rights, above all academic jurisdiction and the right to grant degrees. This privileged status found expression in the use of official emblems of authority, also at Greifswald University. These included the Rector's insignia of office, which in the first centuries consisted of an official gown and four sceptres. In later times, though not before the middle of the 19th century, a gold chain and a ring were added.*

*All the Rector's insignia have some connection with the Pomeranian ruling house, for Wartislaw IX was the donor of the great pair of sceptres, Philipp I played a part in the restoration and renewal of the small sceptres, the Rector's gown was a present from Philipp Julius, Bogislaw XIV was once the owner of the signet ring, and duke Ernst von Croy, who was married to the sister of the last duke of Pomerania, had the gold chain of office made. The donation of these imposing items of symbolic use is a proof of the esteem in which the ruling house held the University of Greifswald. After a break of over 20 years Ernst Moritz Arndt University has now reintroduced the tradition of wearing gowns, so that the oldest and most beautiful official Rectorial garb, dating from 1619, is once more in use.*

*10. Rektorring*
*Das ehemalige Daumenpetschaft von Herzog Bogislaw XIV., um 1620, Gold mit einem Saphir*

25

# Eine jahrhundertealte Tradition an der Universität Greifswald: Das pommersche Croy-Fest und der Croy-Teppich

Das Croy-Fest und der Croy-Teppich haben ihren Namen nach dem letzten Nachfahren aus dem Greifengeschlecht erhalten. Ernst Bogislaw von Croy (1620 - 1684), Schwestersohn von Bogislaw XIV., erbte den gesamten persönlichen Besitz der Pommernherzöge, darunter auch einen monumentalen Wandteppich aus der Reformationszeit. 1634 hatte von Croy an der Universität Greifswald studiert und das Ehrenrektorat bekleidet. Zeitlebens fühlte er sich der Hohen Schule verbunden. So stiftete er am 10. März 1680 das Croy-Fest für die Universität, und am 3. Juni 1681 verband er mit einer testamentarischen Schenkung wertvoller Gegenstände ein Vermächtnis. Johann Gottfried Ludwig Kosegarten berichtet in seiner Universitätschronik von 1856:

*„Herzog Ernst Bogislav zu Croy vermacht der Universität in seinem Testamente [...] des Herzoges Bogislav 14. in einen Saphir gegrabenes Petschaft; eine gewirkte Tapete, welche den Doctor Luther auf dem Predigtstuhle stehend darstellt, und zu beiden Seiten die damaligen Mitglieder des Pommerschen und des Chursächsischen Fürstengeschlechtes, welche Tapete bei der alle zehn Jahre eintretenden Gedächtnisfeier der Herzogin Anna von Croy im Auditorio aufgehängt werden soll; und endlich seine goldene Kette, welche der Rector bei jener Gedächtnisfeier am Halse tragen soll."*[16]

Ernst-Bogislaw von Croy hat mit seiner Stiftung des nach ihm benannten Festes von 1680 eine Regelung des Inhaltes und der Zeit für die Feierlichkeiten getroffen: *„Ernestus Bogislaus, dei gratia dux Croyae et Arescotti, Sohn Annes, der Schwester des Herzogs Bogislav 14. fordert die Universität auf, alle zehn Jahre am Todestag seiner Mutter, den 7/17 Juli, eine Gedächtnisfeier für seine Mutter zu halten [...]"*.[17] In dem Vermächtnis heißt es weiter, daß man zu den Erinnerungsfeiern auch des pommerschen Herzoghauses gedenken solle und in diesem Zusammenhang alle zehn Jahre einmal den nach dem Stifter benannten Croy-Teppich auszustellen habe. Zur Bestreitung der Unkosten für das Fest hatte von Croy der Stadt Stralsund Kapital überwiesen, von welchem jeweils 100 Taler Zinsen gezahlt werden sollten.

In der Geschichte der norddeutschen Universität fanden bisher 27 Croy-Feiern statt. Am 7. Juli 1680, noch zu Lebzeiten des Stifters, beging die Hochschule dieses Fest zum ersten Mal. Der Gobelin befand sich zu dieser Zeit im Besitz des Herzogs von Croy. Nach dessen Tode zeigte sich der Kurfürst von Brandenburg nicht bereit, den Teppich und die anderen Kleinodien aus dem pommerschen Herzoghaus an die Universität Greifswald auszuliefern. Die damals zu Schweden gehörende Hohe Schule lag im Herrschaftsgebiet des Rivalen von Brandenburg. So mußten die ersten Croy-Feiern 1690 und 1700 noch ohne den Teppich stattfinden. Erst nach mehreren Verhandlungen des schwedischen Gesandten am brandenburgisch-preußischen Hof, Johann Baron von Rosenhane, gelangte die Universität 1707 in den Besitz des Croyschen Erbes.

Bis 1930 befolgte man die Regelungen Ernst Bogislaws, so daß sich die Croy-Feiern zu einer festen Tradition an der alma mater entwickelten. In den Jahren 1940 und 1950 fanden auf Grund der Kriegs- und Nachkriegsereignisse keine feierlichen Akte und auch keine Schaustellungen des Bildteppichs statt. Allerdings ist man 1937, anläßlich einer Gedenkveranstaltung an das Erlöschen des Greifengeschlecht vor 300 Jahren, von dem Croyschen Vermächtnis abgewichen. Der für die Darstellung der Kunst am pommerschen Fürstenhof bedeutsame Croy-Teppich wurde zur Sonderausstellung im Stettiner Museum gezeigt. In der DDR fand die Tradition der Croy-Feste aus politischen Gründen keine Weiterführung, entsprach sie doch nicht dem offiziellen marxistisch-leninistischen Geschichtsbild. Selten, zu besonderen Gelegenheiten, wurde der 1956 von der Kriegsauslagerung zurückgekehrte Gobelin präsentiert.[18]

Am 20. Mai 1992 faßten Rektor und Senat der Universität mit der demokratischen Hochschulerneuerung den Beschluß, die über 300 Jahre alte Tradition der Croy-Feiern künftig wieder fortzusetzen. Das 27. Croy-Fest wurde im gleichen Jahr am 16. Oktober veranstaltet. Für drei Tage wurde der Gobelin in der barocken Aula des Universitätshauptgebäudes gezeigt.

Auch wenn der Teppich ursprünglich nicht für die Universität bestimmt gewesen ist, sondern die Wolgaster Fürstenresidenz schmückte, so bestehen für die Hohe Schule doch Verbindungen zu vielen dargestellten Personen und zu seinem Sinngehalt. Er erinnert auf eindrucksvolle Weise an die Einführung der Reformation in Pommern, der die junge Hochschule entscheidende Impulse für eine Neugestaltung ihres Lehrbetriebes verdankte. Förderer der Reformationsidee und Mäzene der Universität sind auf der Tapisserie zu sehen. Philipp I., der nach Rubenow als zweiter Gründer der Universität gilt, seine drei ältesten Söhne, die an der pommerschen alma mater studierten, darunter Ernst Ludwig, der das erste Collegiengebäude für Greifswald errichten ließ, und Bugenhagen, Melanchthon sowie Herzog Barnim, Leitfiguren bei der Durchsetzung der Reformation in Pommern.

Der Croy-Teppich mit den imponierenden Ausmaßen von 4,46 x 6,90 m wurde 1554 im Auftrage Philipp I. von Pommern-Wolgast hergestellt. Ein Bekenntnis zur Lehre Luthers sollte das etwa 30 m² große Textil sein und darüber hinaus die Verbindung zwischen dem pommerschen Herzoghaus mit dem alten und angesehenen sächsischen Kurfürstenhaus darstellen. Beide Dynastien waren durch die 1536 in Torgau auf Schloß Hartenfels vollzogene Eheschließung Philipps mit Maria von Sachsen, einer Tochter des Kurfürsten Johann, miteinander verwandt.

11. Ernst Bogislaw von Croy (1620 - 1684)
Stifter des Croy-Teppichs
Gemälde aus der zweiten Hälfte des 17. Jahrhunderts

Zur Darstellung: Der Betrachter blickt auf 23 Personen in einem kirchenähnlichen Raum. In der Mittelachse steht Luther, von der Kanzel predigend. Mit seiner linken Hand blättert er in einer aufgeschlagenen Bibel, die rechte weist nachdrücklich auf einen hochaufgerichteten Kruzifixus. Eine Schrifttafel in Renaissanceumrahmung verdeutlicht die Beziehung zwischen der Predigt und dem Gekreuzigten durch folgende Worte:

SIHE DAS IST GOTTES LAM DAS DER WELT SVNDE TREGT DISER ISTS VON DEM ICH EVCH GESAGT HABE. IOH . I. VND WIE MOSES IN DER WVESTEN EINE SCHLANGE ERHOEHET HAT ALSO MVS DES MENSCHEN SON AVCH ERHOEHET

27

12. Croy-Teppich, 1554 von Peter Heymans in Stettin gewirkt

28

*WERDEN AVF DAS ALLE DIE AN IN GLEVBEN NICHT VERLOREN WERDEN SONDERN DAS EWIGE LEBEN HABEN. IOHANN: III. M.D.LIIII:*

Die Zahl 1554 ist wahrscheinlich ein Hinweis auf das Schicksal Johann Friedrich des Großmütigen, der im genannten Jahr starb und dessen gewaltige Gestalt auf dem Teppich besonders hervorgehoben wurde. Als Pendant zur Inschrift steht rechts neben der Kanzel ein auf Entstehung und Stiftung des Gobelins bezogener Text, der bei der Restaurierung 1891 bis 1894 unter Julius Lessing im Berliner Kunstgewerbemuseum hinzugefügt wurde. An dieser Stelle befand sich wahrscheinlich bis zum Beginn des 18. Jahrhunderts eine andere, herausgeschnittene Inschrift oder bildliche Darstellung. Aus dem Nachlaßinventar Philipps I. von 1560 ergibt sich die hypothetische Möglichkeit, daß hier einmal die Taufe Christi angebracht gewesen sein könnte.[19]

Die obere und die untere Rahmenleiste, die gesondert gewirkt und nachträglich an das in einem Stück gefertigte Bildfeld zugefügt wurden, enthalten auch Inschriften. Die oberen beziehen sich auf die durch Christus den Menschen zugewandte Gnade Gottes (Jesaia 53), den Beginn der Reformation durch Luther und die Einführung des evangelischen Glaubens in Pommern unter entscheidender Mitwirkung Bugenhagens. Zwischen den Inschriftenkartuschen sind die Wappen der Reformatoren eingefügt: für Philipp Melanchthon das Kreuz mit Schlange, für Martin Luther die Rose mit dem Herzen in der Mitte und für Johann Bugenhagen die Harfe. Die mit Frucht- und Laubwerk verzierten Seitenbordüren in typisch Brüsseler Manier enthalten kleine Schrifttäfelchen mit Wahlsprüchen, links der Johann Friedrich des Großmütigen „VERBWM DOMINI MANET IN ETERNWM" [sic!] (Das Wort Gottes bleibt in Ewigkeit) und rechts der Philipp I. und seines Sohnes Johann Friedrich „PRO LEGE ET GREGE" und „W.G.W." (Für Recht und Knecht und Was Gott will). In der unteren Rahmenleiste sind die Namen der dargestellten männlichen Personen aus beiden Fürstenhäusern aufgeführt. Links darüber befindet sich die Gruppe

der sächsisch-ernestinischen Fürsten, rechts die der pommerschen.

Die sächsischen Fürsten (von links nach rechts): Kurfürst Friedrich der Weise (1463 - 1525); Kurfürst Johann der Beständige (1468 - 1532) mit seiner zweiten Gemahlin Margarethe von Anhalt – es sind die Eltern von Philipps Gattin Maria; Kurfürst Johann Friedrich der Großmütige (1503 - 1554) und dessen Gattin Sibylle von Jülich mit ihren Söhnen: Johann Friedrich d. Ä. Johann Wilhelm und Johann Friedrich d. J.; hinter ihnen steht Melanchthon; rechts neben Johann dem Großmütigen ist sein Bruder, Kurfürst Johann Ernst von Coburg, zu sehen.

Die pommerschen Fürsten und ihre Gattinnen: Herzog Georg I. (1493 - 1531), Sohn von Bogislaw X. und der einzige Katholik auf dem Teppich; Herzog Barnim XI. (1501 - 1573); Herzog Philipp I. (1515 - 1560); Amalie von der Pfalz (1490 - 1525), Mutter Philipps und Gattin von Georg; Anna von Braunschweig-Lüneburg (1502 - 1568), Gattin Barnims; Maria von Sachsen (1516 - 1583), Gattin Philipps und Halbschwester von Johann Friedrich dem Großmütigen.

In der ersten Reihe stehen die Kinder von Philipp und Maria: Johann Friedrich (1542 - 1600), Bogislaw XIII. (1544 - 1606), Ernst Ludwig (1545 - 1592), Amalie (1547 - 1580) und Barnim XII. (1549 - 1603). Hinter den pommerschen Persönlichkeiten ist das Haupt Bugenhagens zu sehen.

Über den Figuren sind in der linken oberen Ecke das sächsische und rechts das neunfeldrige pommersche Wappen dargestellt, letzteres ist eine der frühesten und schönsten farbigen Abbildungen überhaupt.[20] In den Feldern sind die Wappen der einzelnen Landesteile wiedergegeben, von links oben nach rechts unten: Herzogtum Stettin, Herzogtum Pommern, Herzogtum Cassuben, Herzogtum der Wenden, Fürstentum Rügen, Herrschaft Usedom, Land Barth, Grafschaft Gützkow, Herzogtum Wolgast.

Das sächsische Wappen zeigt in gleicher Reihenfolge: Herzogtum Sachsen, Landgrafschaft Thü-ringen, Markgrafschaft Meißen, Pfalzgrafschaft Sachsen, Kurfürstentum Sachsen (Herzschild), Pfalzgrafschaft Thüringen, Grafschaft Orlamünde, Grafschaft Landsberg, Vogtland,

30

*13. Der Auftraggeber des Croy-Teppichs, Philipp I. (Mitte),*
*links neben ihm sein Onkel Barnim XI. und Johann Bugenhagen im Hintergrund,*
*die die Reformation in Pommern einführten*

31

Grafschaft Altenburg, Burggrafschaft Magdeburg, Grafschaft Brehna.

Der Croy-Teppich ist aus Leinen, Wolle, Seiden- und Metallfäden gewirkt. Er entstand nach der damals in Blüte stehenden, jedoch mit einfachen Mitteln ausgeführten Gobelintechnik. Derartige Stücke entstanden oft nicht auf einem Webstuhl, sondern lediglich mit zwei sogenannten Webebäumen, zwischen denen die Kettfäden gespannt waren. Beim Croy-Teppich verlaufen sie im Bild horizontal, so daß das gewebte Bild sich in Längsrichtung von einem seitlichen Rand zum anderen entwickelte. Eine gemalte Vorlage, der Karton, wurde unter die gespannten Kettfäden gelegt bzw. auf diese übertragen.

An der Herstellung solch eines Teppichs waren damals Entwerfer, Kartonzeichner und Teppichwirker beteiligt. Der herzogliche „Tapetenmacher" Peter Heymans, dessen Initialen sich in der rechten unteren Ecke befinden, hatte 1547 bis 1566 für das pommersche Herrschaftshaus gearbeitet. Seine Werkstatt befand sich im Stettiner Schloß. Als Vorlagen für die meisten Bildnisse dienten Porträts von Lucas Cranach d. Ä. Der Cranachschen Werkstatt wird auch die Bildidee zu diesem Werk zugeschrieben, das Historienbild und monumentale profane Gruppendarstellung zugleich ist; ein Denkmal der Reformation mit Luther als Oberhaupt einer papstunabhängigen, auf Fürstenmacht gestützten Kirche.[21]

32

Der Croy-Teppich gilt heute, nach der Zerstörung des Pommerschen Kunstschrankes im 2. Weltkrieg, als das bedeutendste Denkmal aus der künstlerischen Hinterlassenschaft der Herzöge von Pommern. Walter Borschers nannte ihn 1953 auch „eines der hervorragendsten Reformationsdenkmäler auf niederdeutschen Boden, einzigartig in Größe, Inhalt und Komposition".[22]

*The Pomeranian Croy Festival and the Croy Tapestry: a centuries-old tradition at the University*

*The Croy festival and the Croy tapestry take their names from the last descendant of the Gryphon lineage. Ernst Bogislaw von Croy (1620 - 1684), the son of Bogislaw XIV's sister, inherited the whole personal property of the Pomeranian dukes, including a monumental tapestry from the Reformation period. Croy had studied at Greifswald University in 1634 and held the post of Honorary Rector. Throughout his life he maintained a deep attachment to the University. In 1680 he financed the Croy Festival for the University and on 3 June 1681, in his will, he linked a bequest of valuable items with a further legacy. Every ten years memorial celebrations were to be held at the University for the mother of the donor (Anna von Croy) and the Pomeranian ducal house. On these occasions the tapestry which he had presented was to be put on display and the Rector was to wear the gold chain. In*

*the history of the University 27 Croy celebrations have so far taken place, the first on 7 July 1680, when the founder was still alive. Until 1930 the testamentary provisions were followed so that the Croy Festivals became an established tradition at the alma mater. For political reasons this tradition was not continued during the GDR period. Only after the unification of Germany could these celebrations again be held – on 16 October 1992 the 27th Croy Festival took place.*

*Even though the tapestry was not originally intended for the University there are links to many of the people depicted in it and to its ideological content. The tapestry is an impressive reminder of the introduction of the Reformation to Pomerania, which in the case of the University gave new impetus to the renewal of its teaching. Supporters of Reformation ideas and patrons of the University are portrayed in the tapestry.*

*The imposing Croy Tapestry, measuring 4.46 x 6.90 metres, was made in 1554 on the instructions of Philipp I of Pomerania-Wolgast. The 30-square-metre wall hanging was intended as an avowal of faith in Luther's teaching and at the same time it demonstrates the links between the Pomeranian ducal house (the group of figures on the right) and the house of the Saxon Electors (on the left). The two dynasties were related through the marriage, at Hartenfels castle in Torgau in 1536, of Philipp and Maria of Saxony, a daughter of the Saxon Elector Johann.*

*Today, after the destruction of the Pomeranian Art Cabinet during the Second World War, the tapestry is regarded as the most important item in the inheritance of the Pomeranian dukes.*

33

# Die Gemäldesammlung

Die Ernst-Moritz-Arndt-Universität verfügt über ca. 150 Gemälde aus fünf Jahrhunderten. Sie lassen sich inhaltlich in drei Komplexe zusammenfassen: 1. Professorenporträts, die den größten Teil bilden; 2. fürstliche und königliche Bildnisse; 3. Landschaften und sonstige Motive.

Die Künstler der Porträts sind vielfach noch unbekannt. Für die Anfertigung einiger Werke sind die Namen Johann Parow (oder Pieron, 18. Jahrhundert, genaue Lebensdaten unbekannt), Georg David Matthieu (1737-1778), Gabriel Spitzel (1697-1760), Esther Denner (18. Jahrhundert), Per Krafft d. J. (1777-1863), Georg Friedrich Bolte (1814-1866), Johann Friedrich Boeck (1811-1873), Otto Heyden (1820-1897) und Amatus Roeting (1822-1896) überliefert. Für das 20. Jahrhundert stehen u. a. Künstler wie Max Friedrich Rabes (1868-1944) und Konrad Kardorff (geb. 1877). Wilhelm Titel (1784-1862), einem Zeitgenossen Caspar David Friedrichs, ist die Autorenschaft für 32 Gelehrtenbildnisse im Konzilsaal, ein Historienbild und 13 kleine Landschaften in Öl und Tempra zuzuschreiben.

Ältestes Gemälde der akademischen Sammlungen ist das um 1510 auf Holz gemalte Madonnenbild „Maria auf der Fensterbank". Die jüngste Erwerbung stammt aus dem Jahre 1993: ein vom Greifswalder Maler Prof. Martin Franz (geb. 1928) geschaffenes Porträt des ehemaligen Rektors Zobel.

Um 1690 wurden erstmals Bildnisse verstorbener Professoren gesammelt. Unter dem Rektorat des Juristen Augustin von Balthasar begann die Greifswalder Hochschule nachweislich 1738 mit einer systematischen Sammlung der „Imagines defunctorum Professorum".[23] Das entsprach dem in Greifswald aufgekommenen Bedürfnis nach der Darstellung der eigenen Geschichte und der Universitätsgelehrten. So verwundert es nicht, daß es zeitgleich auch zur Gründung einer Gesellschaft kam, die sich „Collectores historiae et iuris patrii" nannte und sich mit der Erfassung und Erforschung von Quellen der pommerschen Landesgeschichte und des Landesrechts befaßte.

Verglichen mit anderen deutschen Universitäten war die Einrichtung der Professorenbildnissammlung in Greifswald relativ spät. Die Universität Tübingen legte schon gegen 1590 eine Porträtgalerie an.[24]

Als man sich in Greifswald zu einer derartigen Sammlung entschloß, konnte man bereits auf einige vorhandene Porträts zurückgreifen. Der 1738 in Stralsund ansässige Maler Johan Parow wurde von der Universität beauftragt, Bildnisse neu anzufertigen, z. T. nach alten Vorlagen, vorhandene zu restaurieren und einige zu verändern. 14 Bilder entstanden neu, darunter die der schon verstorbenen Professoren Stypmann, Burgmann, Gerdes, Bering und Rubenow.

Die Änderungen konzentrierten sich auf die Vereinheitlichung des Formats, die Rahmung und die Inschriften. So konnte bei zwischen 1991 und 1995 durchgeführten Restaurierungen mehrfach festgestellt werden, daß alte Inschriften übermalt, Leinwände gekürzt oder angestückt wurden, um sie in die vorgegebenen schwarzen Schmuckrahmen mit Goldleisten einzufügen.

Für die Brustbilder und Hüftstücke dieser Zeit ist charakteristisch, daß die Dargestellten – von den Theologen abgesehen – oft von einem kunstvoll drapierten Mantel oder Umhang umgeben sind und entsprechend der Mode der Zeit Allongeperücken, Locken- bzw. später Ohrlockenfrisuren tragen. Die auf akademische Titel und Ämter bezüglichen Bildinschriften wirken oft ungeschickt. Die mittelmäßige Qualität vieler Porträts des 18. Jahrhunderts ist wahrscheinlich darauf zurückzuführen, daß sie von

15. Maria auf der Fensterbank, altniederländische Arbeit aus dem Anfang des 16. Jahrhunderts

Das kleine, auf Holz gemalte Bild gehörte wahrscheinlich einmal zu den Kunstbeständen des herzoglichen Schlosses Wolgast. Im Nachlaßinventar Philipp I. von 1560 wird ein „Marien Bilde, heldt das Kindlein Jesu mit Olie" aufgeführt. Dieses Werk eines vermutlich um 1510 tätigen Meisters aus dem Kreise Quentin Massys gelangte um 1800 an die Universität Greifswald.

16. David Mevius (1609 - 1670)
Einer der berühmtesten Greifswalder Juristen, der von der
schwedischen Königin Christina zum Vizepräsidenten des
Wismaer Tribunals berufen wurde und der als herausragender
Kenner des lübischen und römischen Rechts galt

17. Johann Christian Friedrich Finelius ( gest. 1848)
Gemälde von Wilhelm Titel, 1837
Finelius war Professor der Theologie und Pfarrer an der
Nikolaikirche während der neugotisch-romantischen
Umgestaltung des Gotteshauses durch J. G. Giese. Der
Theologe betätigte sich selbst künstlerisch. Das Porträt zählt
zu den ausdrucksstärksten im Konzilsaal.

den im Umkreis der Universität wirkenden Künstlern geschaffen wurden, die das durchschnittliche künstlerische Niveau dieser Zeit in Schwedisch-Pommern widerspiegeln.

Im späten 18. Jahrhundert werden die Bildnisse immer seltener, und zu Beginn des 19. Jahrhunderts kam der Brauch, Gelehrtenporträts zu sammeln, vorübergehend zum Erliegen. Eine Wende gab es erst nach der Übernahme des Landes Vorpommern und der Universität durch Preußen. 1831 erhält der schon erwähnte norddeutsche Künstler Wilhelm Titel von der Universität den Auftrag, jährlich zwei Professoren zu porträtieren. Bis 1850 entstehen 32 Gemälde, die im Konzilsaal zu einer beeindruckenden Galerie zusammengefaßt sind.

Titel, der in Boltenhagen bei Greifswald geboren wurde, hatte 1826 nach einem 13jährigen künstlerischen Aufenthalt in Italien die Nach-

folge von Johann Gottfried Quistorp als akademischer Zeichenlehrer angetreten. Pädagogisch wenig erfolgreich, wurde er als Künstler sehr geschätzt. Seine besonderen Fähigkeiten auf dem Gebiet der Bildnismalerei verschafften ihm den großen Auftrag, wofür er jährlich ein Honorar von 25 Reichstalern erhielt.

Mit Ausnahme des Rechtsgelehrten Karl Schildener hat Titel alle Greifswalder Professoren seiner Zeit porträtiert. Wenngleich sich die dargestellten Personen in Haltung und Pose ähneln, sind individuelle Züge trotzdem in einer anspruchsvollen Form festgehalten. Über die künstlerisch stark vom Klassizismus und Biedermeier geprägten Porträts schrieb Victor Schultze 1931: „Man kränkt weder Titel noch die, die er gemalt, wenn man feststellt, daß sich in den Greifswalder Professorenbildnissen die ein wenig spießbürgerliche Zufriedenheit der Epoche mit

18. Mondscheinlandschaft von Wilhelm Titel, nach 1814

dem gesteigerten Selbstbewußtsein einer Kaste zu unübertrefflicher Wirkung vereint."[25]

Die in sich geschlossene Porträtgalerie ist als Auftragswerk eines Künstlers eine Rarität in der deutschen Bildnismalerei der ersten Hälfte des 19. Jahrhunderts. Alle Gemälde waren 1991 bei einem Diebstahl entwendet worden. Seit ihrer Rückkehr im gleichen Jahr erfolgen aufwendige Restaurierungen.

Wenig bekannt, wegen ihrer stilistischen Vielfalt und lockeren Malereien aber besonders interessant, sind 13 kleine Landschaftsbilder von Titel. In diesen technisch qualitätvoll ausgeführten Arbeiten hat er die Farbe oft pastos aufgetragen und mit breitem Pinselstrich die Oberfläche der Materie angedeutet. Keine Einzelheiten werden ausgeführt; um so mehr sprechen die großen Konturen der Landschaft und die Stimmung.[26]

Mit einem Bestand von 17 fürstlichen, königlichen und kaiserlichen Porträts besitzt die Ernst-Moritz-Arndt-Universität eine Reihe bildlicher Darstellungen ihrer Landesherren bzw. von Persönlichkeiten, die mit der Universität in Verbindung standen.[27] Zum Teil waren es Schenkungen der Monarchen aus Anlaß ihres Besuches an der Hohen Schule, so bei Herzog Adolf Friedrich IV. von Mecklenburg-Strelitz und dem schwedischen König Gustav III. Zu den ganz wenigen **Bildnissen** von Frauen gehören die der **sieben pommerschen Prinzessinnen**. In dem von Johann Carl Dähnert geführten Geschenkbuch der Universitätsbibliothek sind sie als Stiftung des Theologieprofessors Laurentius Stenzler aus dem Jahre 1761 aufgeführt. Die Provenienz dieser kleinformatigen Ölmalereien ist bislang nicht bekannt. Den Holzbildträgern und der unterschiedlichen Malweise nach zu urteilen, stammen sie nicht von einer Künstlerhand. Die wahrscheinlich als geschlossene Bildnisfolge entstandenen Gemälde könnten zum Schmuck von Kassettenfeldern eines repräsentativen Raumes angefertigt worden sein. Vielleicht dienten sie Erinnerungszwecken nach dem Ableben der dargestellten Frauen, so wie die Bildnisfolge pommerscher Herzöge in den Rathäusern von

37

20. Carl Gustav Wrangel (1613 - 1676)
*Das 1992 erworbene Bildnis des schwedischen Feldmarschalls gehört zu den wenigen zeitgenössischen Darstellungen Wrangels in der Malerei. Der Graf war Generalgouverneur von Schwedisch-Pommern und zugleich Kanzler der Universität Greifswald.*

19. Pommersche Prinzessin
*Eines von sieben kleinen Porträts, die der Universität von Prof. Laurentius Stenzler 1761 geschenkt wurden*

Anklam und Stralsund (um 1650) und in der Stettiner Börse (um 1678). Schmuck und Kleidung der Prinzessinnen weisen auf das Ende des 16. und die erste Hälfte des 17. Jahrhunderts hin. Typisch sind die aus der spanischen Mode entlehnten Halskrausen, die korsettartig hochgeschlossenen Kleider mit Puffärmeln und die Kopfbedeckung in Form von Spitzenhauben und kleinen Hüten. Die Frauen konnten bisher noch nicht identifiziert werden.

Auf unbekanntem Wege gelangte das **Doppelbildnis der letzten Greifenherzöge Philipp Ju-** lius und Bogislaw XIV. an die Universität. Die naiv anmutende Malweise und die zwischen den Häuptern angebrachte Inschrift „Die beiden letzten H. von Pommern" deuten auf einen Laienkünstler des 17. Jahrhunderts hin.

Ein Auftragswerk der Hochschule stellt das **Konterfei Philipp I. von Pommern-Wolgast** dar. Der Greifswalder Maler Johann Friedrich Boeck fertigte es wahrscheinlich als Kopie nach einem Gemälde der Bildnisgalerie pommerscher Fürsten an, die sich vor ihrer Zerstörung im Rathaus zu Anklam befand. Das heute im Rektorzim-

38

*21. Philipp Julius (gest. 1625) und Bogislaw XIV. (gest. 1637),*
*die beiden letzten Herzöge von Pommern*

mer hängende Porträt erinnert an die großen Verdienste, die sich der Herzog während seiner Regierungszeit bei der Erneuerung der Universität und der Einführung der Reformation erwarb.

Die Bildnisse der Greifswalder Gemäldesammlung sind hinsichtlich ihrer künstlerischen Qualität heterogen. Die Bedeutung der Professoren-

porträts liegt, wie auch bei Sammlungen anderer Universitäten, nicht im Kunstwert begründet, sondern in der relativen Geschlossenheit des abgebildeten Kreises von Gelehrten. Zum Teil sind es die einzig erhalten gebliebenen Darstellungen von Professoren, die für die Universität einen unersetzbaren ideellen Wert besitzen.

39

## The Painting Collection

The University possesses about 150 paintings covering five centuries. They can be grouped under three headings. 1. Portraits of professors (the largest part of the Collection); 2. Portraits of kings and princes; 3. Landscapes and miscellaneous motifs.

Portraits of deceased professors were first collected around 1690. As can be proved, the University began a systematic collection of 'Imagines defunctorum professorum' in 1738 during the Rectorship of the jurist Augustin von Balthasar.

Compared with other German universities Greifswald did not start collecting portraits of professors until relatively late. The mediocre quality of many of the 18th century portraits can probably be traced back to the fact that they were produced by artists working within the vicinity of the University, who reflected the average artistic standard of the period in Swedish Pomerania. In the late 18th century such paintings become less frequent and at the beginning of the 19th century the custom of collecting portraits of scholars seems temporarily to peter out. It was not until 1831 that the North-German artist Wilhelm Titel received a commission from the University to paint portraits of two professors per year. By 1850 32 paintings had been completed and together they now form an impressive gallery in the Council Chamber.

The portraits in the Greifswald painting collection are very varied in artistic quality. As with collections in other universities, the significance of the portraits of professors lies not in their artistic merit but in the relatively self-contained nature of the circle of scholars protrayed. In some cases these are the only pictures of the professors concerned to survive and their value for the University is therefore irreplaceable.

# Verschiedenartige Kunstgegenstände

Zum Kunstbesitz der alma mater gehören auch Werke, die nicht zielgerichtet gesammelt wurden, sondern bei deren Erwerb vielfach Universitätsjubiläen oder Zufallsmomente eine Rolle spielten. Sie lassen sich inhaltlich nicht systematisieren. Als Beispiele seien hier der **Estherteppich,** der **Lutherbecher** sowie eine **Vorstudie zu einem Historienbild Otto Heydens** aufgeführt.

Der um 1560 anläßlich einer Eheschließung gewirkte Gobelin wurde häufig als kleiner Croy-Teppich bezeichnet. Diese Titulierung entstand vermutlich in Verbindung mit den Croy-Festen, aus deren Anlaß im auditorio der Universität einige Male auch der Estherteppich ausgestellt wurde.[28] Es ist möglich, daß er sich, wie der Croy-Teppich und das schon erwähnte Bild „Maria auf der Fensterbank", im Nachlaß des pommerschen Herzogs Philipp I. befand. Dessen Inventar von 1560 erwähnt einen Teppich „Von Hester und wie Haman gehenkt."

Das 3,35 x 2,59 m große Stück ist noch sehr farbenprächtig. Die Bildkomposition und die Verzeichnung von Proportionen wirken zum Teil unbeholfen und zeugen von keinem hohen künstlerischen Niveau. Drei Felder gliedern das Textil. In den beiden oberen sieht der Betrachter Szenen aus dem alttestamentlichen Buch Esther. Im einzelnen sind das: die Bestrafung von Haman, der die Ausrottung der Juden beschlossen hatte, sowie Mordochai, der den Anschlag der beiden Kämmerer gegen den König anzeigt; darunter empfängt König Ahasver seine Gemahlin, die knieende Esther, die Hamans Pläne vereitelte und dessen Bestrafung veranlaßte. In der Mitte des unteren Feldes springt das Einhorn als Symbol der Keuschheit in den Schoß der Jungfrau. Links davon ist das Wappen des Stralsunder Patriziergeschlechts Möller, rechts das der gleichnamigen Greifswalder Familien

angebracht. Auch wenn der Kunstwert des Teppichs nicht hoch einzuschätzen ist, gehört er doch zu den seltenen erhalten gebliebenen Beispielen eines bürgerlichen Hochzeitsteppichs.

Aus dem Nachlaß des Generalsuperintendenten von Pommern und Professors der Theologie Johann Friedrich Mayer (1650 - 1712) erwarb die Universität 1801 einen aus Silber getriebenen und vergoldeten Buckelpokal. Nach alter Überlieferung und entsprechend einer Inschrift am Pokalfuß war er ein Geschenk der Universität Wittenberg an Martin Luther zu seiner Hochzeit mit Katharina von Bora im Jahre 1525. Die ebenfalls am Fuße des Bechers angebrachte Meistermarke NL deutet auf den in Augsburg zwischen 1591 und 1615 nachweisbaren Goldschmied Nikolaus Leiß hin. Somit ist der Text später angebracht worden, um dem Gegenstand einen historischen Wert zu verleihen.

Zum 400jährigen Bestehen der Universität stiftete der in Ducherow bei Anklam geborene Maler Otto Heyden (1820 - 1897) das monumentale Gemälde **„Verleihung der Rektorinsignien durch den Pommernherzog Wartislaw IX. an den Rektor Dr. Heinrich Rubenow in der Nikolaikirche zu Greifswald am 17. Oktober 1456".** Bis zur kriegsbedingten Auslagerung hing es im Amtszimmer des Rektors und bedeckte mit Ausmaßen von 2,75 m x 3,60 m fast die gesamte Westwand. 1955 konnte die Universität aus dem Besitz von Erben des Künstlers eine Skizze erwerben, die zum Verständnis des Historiengemäldes von Bedeutung ist. Heyden hat hier 21 Porträtstudien mit Anmerkungen versehen. Aus ihnen geht hervor, daß er den im Historienbild dargestellten Personen die Porträtzüge von Greifswalder Professoren verlieh, die um die Mitte des 19. Jahrhunderts an der Uni-

22. Esther-Teppich, um 1560

*23. Lutherbecher*
*Silber vergoldet*
*Augsburger Goldschmiedearbeit von Nikolaus Leiß,*
*Ende 16./ Anfang 17.Jahrhundert*

versität wirkten. Darunter befinden sich Bildnis-studien der schon von Titel porträtierten Gelehrten Schömann, Beseler, Vogt, Hoefer, Grunert, Tillberg, Kosegarten, Barthold und Niemeyer, die im Gemälde eine Umsetzung fanden.

Im Jahr 1857 verlieh die Philosophische Fakultät dem ehemaligen Greifswalder Studenten Heyden für seine künstlerische Leistung die Ehrendoktorwürde. Als Professor der Berliner Kunstakademie und als preußischer Hofmaler hatte er bereits Anerkennung erfahren.

43

24. Vorstudie zum Monumentalbild Otto Heydens
mit dem Thema: Gründungsakt der pommerschen Hochschule (1856).
Die Federskizze mit Porträts Greifswalder Professoren erwarb die Universität 1955 aus Privatbesitz.

## Miscellaneous art objects

The University owns art objects which were not sys-
tematically collected but acquired on the occasion of
University jubilees or by chance, and defy classifica-
tion. Examples are the Esther tapestry, the Luther
cup, and a preliminary sketch and a historical picture by Heyden. The tapestry with scenes from the
Old Testament Book of Esther was probably woven

about 1560 for a wedding between two members of
burgher families from Greifswald and Stralsund.
The Luther cup takes its name from an inscription
on its base. It is the work of Nikolaus Leiß, whose residence in Augsburg between 1591 and 1615 can be
documented.

44

# Das Universitätshauptgebäude mit der barocken Aula und dem Konzilsaal

*„Ich sage nur in der Kürze so viel, daß es eine Zierde und Lüstre unseres Landes sey, welches darin nicht seinesgleichen finde [...]"* (Augustin von Balthasar, 1750).[29]

Ein Wissenschaftler der Universität Greifswald hat den Architekturplan für das heutige Hauptgebäude entworfen und die bauliche Ausführung geleitet: Andreas Mayer (1716 - 1782), Professor der Mathematik und Physik, ließ es zwischen 1747 und 1750 auf den Fundamenten des Vorgängerbaus errichten. Die Universitätsbibliothek besitzt noch einen Teil der von ihm dafür entworfenen Originalgrundrisse und -aufrisse, die 1754 als Kupferstiche von Martin Engelbrecht erschienen.[30]

Das an der Schwelle vom Barock zum Klassizismus entstandene Profangebäude beeindruckt durch seine einfache, kubisch geschlossene Form. Die klaren Proportionen der einzelnen Bauglieder und der weitgehende Verzicht auf Ornamentik vermitteln Strenge und Schlichtheit. Sie entsprechen ganz dem Zweck dieses Gebäudes, das nicht als barockes Lustschloß, sondern als akademischer Zweckbau errichtet wurde. So fehlen ausgreifende Querflügel und Eckbetonungen sowie ein repräsentativer Treppeneingang.

Mayer ließ sich bei seinen Entwürfen von der rationalistischen und mathematischen Auffassung der französischen Architekturtheoretiker seiner Zeit leiten (C. E. Briseux). Er verarbeitete aber auch Anregungen, die er von der ländlichen Architektur, insbesondere von Herrenhäusern und Landschlössern in Schwedisch-Pommern, erhielt. Joachim Fait verweist auf mögliche Vorbilder für das Greifswalder Collegium: die Schlösser in Schwerinsburg, Tützpatz und Griebenow sowie Putbus vor dem klassizistischen Umbau. [31]

Das 77 m lange und 13 m tiefe Universitätsgebäude bildet auch heute noch den Mittelpunkt des akademischen Lebens, obgleich es seit den Umbauten im 19. Jahrhundert vor allem der Verwaltung dient. Als Vorgängerbau stand von 1591 bis 1750 an gleicher Stelle das Ernesto-Ludovicanum, benannt nach seinem Erbauer Herzog Ernst Ludwig von Pommern-Wolgast, der auch eine Rißzeichnung für das Gebäude anfertigte. Bis 1591 gab es keinen eigens für die Institution Universität errichteten Bau. Der Unterricht fand in diversen Bürgerhäusern statt, die über die westliche Neustadt verteilt waren, darunter auch in zwei Häusern am heutigen Rubenowplatz.

Das Mayersche Collegium ist im Außenbau fast unverändert erhalten geblieben. Der Mit-

*25. Andreas Mayer (1716 - 1782)*
*Gemälde von Gabriel Spitzel*

45

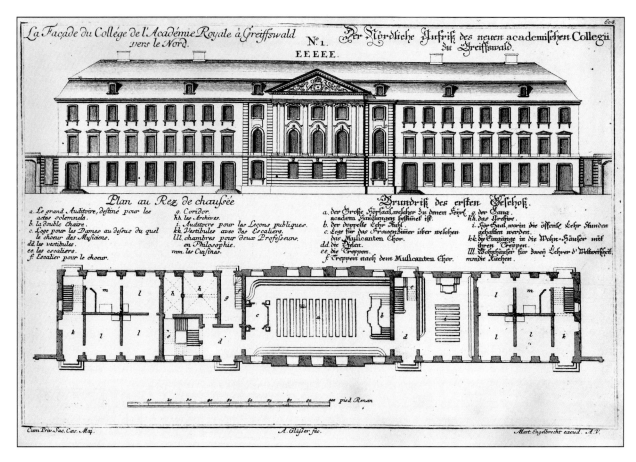

26. Nordfassade des Universitätshauptgebäudes
Entwurf: Andreas Mayer; Kupferstich von Martin Engelbrecht, 1754

telteil der Nordfassade wird als Risalit mit Rustikaeinfassung und durch das Giebeldreieck betont. Hier erinnert heute das große preußische Staatswappen an die Zugehörigkeit der Universität zu Preußen seit 1815. Ursprünglich befand sich an dieser Stelle das schwedische Königswappen. Die lineare Gliederung der Südfront des Gebäudes wird erheblich beeinträchtigt durch 1885 angelegte Treppenvorbauten. In der Mittelachse stehen auf einem kraftvoll profilierten Architrav zwei wilde Männer, die das große pommersche Wappenschild halten. Das Original des Rostocker Bildhauers Johann Friedrich Meyer wurde 1972 durch eine Kopie ersetzt.

Der Südfassade war eine barocke Gartenanlage vorgelagert. Sie wurde in den achtziger Jahren des vorigen Jahrhunderts beseitigt, als der Universitätshof mit Klinkergebäuden – das

Hörsaalgebäude (1884 - 1886), die Augenklinik (1885 - 1887) und schließlich das Physikalische Institut (1889 - 1891) – umgeben wurde.

Wie der Bau in seiner Gesamtheit, so sind auch die Innenräume von einer schlichten Ruhe und flächenhaften Geschlossenheit. Den „architektonischen und geistigen Mittelpunkt der gesamten Anlage"[32] bildet die mittlere Partie des Gebäudes. Hier befand sich der große Büchersaal (heute Aula) und das alte auditorium maximum (heute Magazin des Universitätsarchivs).

Die ehemalige barocke Saalbibliothek ist der einzige Raum des Collegiums, der noch im nahezu ursprünglichen Zustand erhalten geblieben ist.

Nur an Stelle der großen Arbeitstische stehen heute Stühle, und an den Wänden hängen Bildnisse, wo sich einst verzierte Repositorien für

46

27. Rückfront des Universitätshauptgebäudes mit dem Domturm im Hintergrund

die Bücher befanden. Den besonderen Schmuck bildet eine um den ganzen Raum laufende Holzgalerie mit 24 marmorierten Säulen. Das Geländer der Galerie zieren große Deckelvasen und vier Puttenpaare, die die vier Gründungsfakultäten verkörpern. Alle plastischen Arbeiten aus Holz, einschließlich der Hermen zwischen den ionischen Säulen (Hermes, Apollo, Minerva und die neun Musen), wurden von dem Stralsunder Bildhauer Jakob Freese geschaffen.

Berühmtestes Vorbild für die Greifswalder Saalbibliothek war die Wiener Hofbibliothek des Fischer von Erlach. Natürlich konnte diese an der kleinen Universität nur mit bescheidenen Mitteln und in kleinen Dimensionen nachgeahmt werden. Doch ist auch heute – nach veränderter Nutzung als Aula (seit 1882) – der Raumeindruck noch ein nachhaltiger. Der Bibliothekar Johann Carl Dähnert rühmte diesen Gebäudeteil kurz nach seiner Vollendung mit den Worten: *„Alles dieses giebt dem Auge einen überaus schönen Anblick, und die Annehmlichkeiten der ganzen Lage, der gute Geschmack in allem was man wahrnimmt, verdoppeln das Vergnügen, mit welchem man sich sonst in woleingerichteten Bibliotheken aufhält.“*[33]

Die Innenausstattung der sich über zwei Geschosse erstreckenden Aula wurde 1981 verändert. Eine Reihe von Bildnissen, überwiegend Greifswalder Gelehrte aus dem 18. Jahrhundert, hat ihren Platz an den Wänden und auf der Empore gefunden. An der westlichen Stirnseite hängen die Porträts des ersten hauptamtlichen Bibliotheksdirektors Dähnert, des Universitätsgründers Rubenow, des Architekten Mayer sowie des Reformators Bugenhagen.

Der **Rektorsessel,** anläßlich der 450-Jahrfeier gefertigt, befindet sich seit 1906 in der Aula und ist die schönste kunsthandwerkliche Auftragsarbeit der Universität aus diesem Jahrhundert. Den Entwurf für das Möbelstück lie-

47

ferte der damals schon bekannte Jugendstil-künstler Heinrich Vogeler (1872 - 1942). Besonders gelungen ist die Verbindung von unterschiedlichen Stilen – barocke Formen sind gepaart mit einer für den Jugendstil typischen Ornamentik und Eleganz. Seit 1990 dient der repräsentative Stuhl dem Rektor bei akademischen Festakten wieder als Sitzgelegenheit.

Zwei monumentale Werke befinden sich an der gegenüberliegenden Wand. An der Südostecke der Aula wurde ein **Memorialstein für Herzog Ernst-Ludwig**, der das erste Collegiengebäude für die Universität erbauen ließ, aufgestellt. Das einst für das Wolgaster Herzogschloß in der Bildhauerschule des Philipp von Brandin angefertigte Relief zeigt den Landesfürsten in Kürassierrüstung.

1784 schenkte der schwedische König **Gustav III.** der Hochschule ein Monumentalbild (westliche Aulawand). Gustav ist hier als Ganzfigur in Uniform vor einer Kriegsszenerie zu sehen. Der kunst- und literatursinnige Monarch hatte 1771 der damals zu Schweden gehörenden Universität einen Besuch abgestattet. Vier Jahre spä-

ter erließ er einen bedeutenden Visitationsrezeß, der eine durchgreifende Umgestaltung des akademischen Lehrprogramms im Sinne der Aufklärung einleitete und die Verbindung von wissenschaftlicher Theorie mit praktischem Leben förderte.

Der zweite repräsentative Raum im Universitätshauptgebäude ist der um 1834 im pompejanischen Stil eingerichtete Konzilsaal. Vordem diente er als kleiner Hörsaal. Den festlichen Charakter verleiht ihm die Galerie der 32 Professorenbildnisse von Wilhelm Titel (vgl. Abschnitt Gemäldesammlung) und einiger Gemälde größeren Formats. Unter den Bildern

*28. Pommernwappen, gehalten von zwei wilden Männern*

*29. Herzog Ernst-Ludwig-Stein*
*Arbeit aus der Bildhauerschule des Philipp von Brandin*

48

30. Die heutige Aula, bis 1882 barocke Saalbibliothek der Universität

49

*31. Rektorstuhl*
*Entwurf von Heinrich Vogeler, 1906; Holz, Seide mit Stickerei des Pommernwappens auf der Stuhllehne*

50

fällt ein Porträt im Rokokorahmen auf. Es stellt Herzog **Adolf Friedrich IV. von Mecklenburg-Strelitz**, Fritz Reuters „Durchläuchting", dar, der 1753 als 16jähriger Jüngling an der Universität immatrikuliert und der Sitte der Zeit gemäß zum „Rector Magnificentissimus" gewählt worden war. Im Jahre 1764 ließ der mecklenburgische Fürst der Universität das vermutlich von Esther Denner, einer Tochter des Porträtmalers Balthasar Denner (1685 - 1749), angefertigte Kunstwerk übergeben.

Gegenüber befindet sich das Bildnis des **Hans Henrik Graf von Essen**. Es zeigt den letzten schwedischen Generalgouverneur und Kanzler der Universität, der mit Unterbrechung von 1800 bis 1815 vor allem in Stralsund wirkte. Da er die Universität sehr gefördert hat, erbat sie sich 1805 die Genehmigung für einen Bildnisauftrag. Die Arbeit wurde dem schwedischen Porträtmaler Per Krafft d. J. übertragen, der Schüler des klassizistischen Künstlers Jacques-Louis David war.

Die gleichfalls im Konzilsaal hängenden drei **Konterfeis der Professoren Ernst Bernheim, Hermann Schwarz und Erich Pernice** zählen zu den wenigen Porträtaufträgen aus diesem Jahrhundert. Sie wurden 1933/34 von dem Berliner Künstler Konrad Kardorff ausgeführt. Verläßt der Besucher den Konzilsaal über Eingang III, so fallen zwei Monumentalgemälde der **preußischen Könige Friedrich Wilhelm III. und IV.** ins Auge. Das letztere wurde von Wilhelm Titel nach dem gleichen Gemälde von Gérard für die Greifswalder Aula kopiert.

Im Flur des Eingangs II befindet sich seit 1803 der künstlerisch qualitätvolle **„Pommersche Wappenstein"**. Das Relief aus gotländischem Kalkstein schmückte früher ein Portal am Bogislaw-Bau des Wolgaster Schlosses. Es entstand 1551 als Auftragsarbeit von Philipp I. an den niederländischen Bildhauer und Architekten Paul von Hove. Nach dem Abriß der Schloßruine wurde der Stein an die Universität überführt und, wie die lateinische Inschrift in der damals angebrachten Rahmung besagt, in Gedenken an die Her-

zöge von Pommern in die Wand eingelassen. Das Wappen zeigt, ähnlich den Darstellungen auf dem Croy-Teppich, dem Rektormantel, der Wappenkartusche auf dem Universitätshauptgebäude sowie auf dem Rektorstuhl, die neun Landesteile. Eine Besonderheit stellt die rechte Helmzier dar. Anstelle der häufig verwendeten Lilienstengel für das Fürstentum Rügen ist der offene Adlerflug für das Herzogtum Pommern-Wolgast in Stein gehauen. Die Inschriftentafel unter dem Wappen führt Philipp mit allen Titeln sowie den Künstlernamen und das Jahr der Entstehung auf.

*32. Gustav III. (1746 - 1792)*

51

*33. Konzilsaal mit der Galerie der 32 Professorenbildnisse von Wilhelm Titel*

*34. Hans Henrik Graf von Essen Gemälde von Per Krafft d. J. (Ausschnitt)*

### The University Main Building with its baroque Assembly Hall and Council Chamber

*A Greifswald scholar drew up the architectural plans for the present Main Building and directed building work. Between 1747 and 1750 Andreas Meyer (1716 - 1782), professor of mathematics and physics, erected the new building on the foundations of the old one. This secular building was erected on the threshold from baroque to classicism and impresses by its simple, cubic, self-contained form. The clear proportions of the individual parts of the building and the way ornament has largely been dispensed with combine to communicate a sense of rigour and simplicity. This matches the building's use, for it was erected not as a baroque summer residence but as a utilitarian academic structure.*

*The former library chamber, now the Assembly Hall, is the only room in the College which has been preserved virtually in its original state. Its most decorative feature is the encircling wooden gallery supported by 24 marbled pillars, the work of the Stralsund sculptor, Jacob Freese.*

*The second imposing room in the Main Building is the Council Chamber, furnished in Pompeian style around 1834. Its ceremonial character is underlined by the gallery of 32 portraits of professors painted by Wilhelm Titel.*

*35. Herzog Adolf Friedrich von Mecklenburg-Strelitz (1737 - 1792), vermutlich von Esther Denner gemalt*

53

# Das Rubenowdenkmal

Seit der 400-Jahr-Feier der Universität Greifswald im Jahre 1856 erhebt sich auf dem Platz vor dem Hauptgebäude das neugotische Rubenowdenkmal.

Rubenow gilt als treibende Kraft bei der Errichtung der Universität. Er stellte einen erheblichen Teil an Aufwendungen bei den Vorbereitungen der Gründung der alma mater und für den laufenden Unterhalt aus seinem eigenen Vermögen zur Verfügung.

Den Gesamtentwurf für das 12,10 m hohe Monument aus galvanisiertem Zinkguß lieferte der Schinkel-Schüler August Stüler (1800 - 1865). Die Standfiguren entwarf der Berliner Bildhauer Wilhelm Stürmer (geb. 1812), die Sitzfiguren, das Medaillon Rubenows sowie die Wappen von Greifswald, Pommern, Schweden und Preußen schuf der Berliner Künstler Bernhard Afinger (1813 - 1882).

Die Errichtung des Denkmals hatte der Landesherr Friedrich Wilhelm IV. von Preußen angeregt. Dementsprechend nehmen die Fürstenstandbilder eine dominierende Stellung ein. Es sind die weltlichen Förderer der Universität: über dem Rubenow-Medaillon der Pommernherzog Wartislaw IX., dann Bogislaw XIV., der schwedische König Friedrich I. und schließlich Friedrich Wilhelm III. von Preußen. Die für die Universitätsgeschichte bedeutsameren Gelehrten – es sind Vertreter der Gründungsfakultäten – müssen sich mit Eckplätzen begnügen: Der Theologe Bugenhagen, der Jurist Mevius, der Mediziner Berndt und der Historiker (Philosophische Fakultät) Arndt sitzen unter kleinen Baldachinen auf Strebepfeilern. Die acht dargestellten Personen verkörpern die Entwicklung der Greifswalder Hochschule von ihrer Entstehung bis zur Mitte des 19. Jahrhunderts.[34]

Jede Fakultät konnte bei der vom Senat gewählten Kommission zur Errichtung des Denkmals Vorschläge für die abzubildenden Persönlichkeiten einreichen. Die Theologische Fakultät wählte **Johann Bugenhagen** (1485 - 1558). Zwar hatte er an der Universität keine Professur bekleidet, doch an der ortsansässigen Artistenfakultät studiert. Neben Luther und Melanchthon war Bugenhagen der einflußreichste und bedeutendste Vertreter der gemäßigten Richtung der deutschen Reformation. Er verfaßte im Auftrag Bogislaw X. auch die erste Geschichte Pommerns. Seine eigenhändige Niederschrift der „Pomerania" (1517/18) befindet sich in der Greifswalder Universitätsbibliothek.

Die Juristische Fakultät benannte als Vertreter **David Mevius** (1609 - 1670). Er war bis zur Zeit der Errichtung des Monuments der wichtigste Greifswalder Jurist gewesen, sieht man von dem kurzen Aufenthalt des Petrus von Ravenna ab. Von 1635 bis 1638 hielt Mevius zahlreiche Vorlesungen. Im Auftrag der schwedischen Königin Christina war der Rechtsgelehrte an den Friedensverhandlungen zu Bromsebroe und Osnabrück beteiligt. Er erarbeitete die Verfassung für Schwedisch-Pommern von 1663 und wurde später Vizepräsident des neu errichteten schwedischen Obertribunals in Wismar. Seine wissenschaftlichen Werke weisen ihn als hervorragenden Kenner des lübischen und römischen Rechts aus.

Die Medizinische Fakultät entschied sich für **August Friedrich Berndt** (1793 - 1854). Sein größter Verdienst für die medizinische Ausbildung in Greifswald bestand in der Einführung des klinischen Unterrichts. Es gelang ihm, den Bau eines Hospitals und die Gründung der ersten Hebammen-Lehranstalt der Stadt (Domstraße 14) durchzusetzen.

Die Entscheidung der Philosophischen Fakultät fiel auf **Ernst Moritz Arndt** (1769 - 1860), den einzigen Gelehrten, der zur Einweihung des

*36. Rubenowdenkmal, 1856*
*galvanisierter Zinkguß, 12,10 m Höhe*

55

37. Detail vom Rubenowdenkmal
Ernst Moritz Arndt (sitzend), der preußische König
Friedrich Wilhelm III. (links) und Herzog Wartislaw IX.
von Pommern-Wolgast (rechts)

Denkmals noch unter den Lebenden weilte. Zwischen 1800 und 1811 wirkte er mit Unterbrechungen als Adjunkt und Professor in Greifswald. Zwar war der Historiker nicht lange an der Hochschule tätig, doch *„Arndt gereiche der Universität wegen seiner Verdienste um das deutsche Volk und um den deutschen, namentlich preußischen Staat als politischer und historischer Schriftsteller, als Patriot, als echt volkstümliche Größe, als Persönlichkeit von hoher sittlicher Kraft , als Volksdichter im höchsten Grade zur Ehre [...]"*, so ein Sitzungsprotokoll der Kommission.[35] Seine geschichtlichen Schriften waren wissenschaftlich von nur untergeordnetem Wert, aber seine Popularität und die wirkungsvolle publizistische Tätigkeit über die Landesgrenzen hinaus rechtfertigten die Wahl Arndts.

Am 17. Oktober 1856 fand die feierliche Enthüllung des Rubenowdenkmals im Beisein des preußischen Königs statt. Die am Denkmalsockel angebrachte Inschrift nimmt darauf auch Bezug:

*Auspiciis regis augustissimi Friderici Guiliemi IV. universitas litteraria Gryphiswaldensis saecularia quarta celebrans piae memoriae principum ac regum quorum consilio munificencia sapientique regimine fundata conservata amplificata virorumque excellentium quorum doctrina industria et in rem litterariam meritis ornata et illustrata est hoc monumentum consecravit a. d. XVII Octobr. MDCCCLVI*
(Unter der Regierung des erhabenen Königs Friedrich Wilhelms IV. weihte die Universität Greifswald bei der Feier ihres vierhundertjährigen Bestehens am

56

17. Oktober 1856 dieses Denkmal dem frommen Gedenken an die Fürsten und Könige, durch deren klugen Rat, Freigebigkeit und weise Regierung sie gegründet, erhalten und erweitert, und an die ausgezeichneten Männer, durch deren Gelehrsamkeit, Fleiß und wissenschaftliche Verdienste sie geziert und gerühmt wurde.)

Für die gärtnerische Gestaltung des Platzes entwarf Peter Josef Lenné 1857 einen Plan, der von Stüler gutgeheißen wurde.

## The Rubenow Monument

*Since the 400th anniversary of the University in 1856 the neo-Gothic Rubenow Monument, named after the founder of the University, has graced the square in front of the Main Building. August Stüler (1800 - 1865), a pupil of Karl Friedrich Schinkel, supplied the overall design for the 12.1-metre-high monument in galvanised cast zinc. The standing figures were designed by the Berlin sculptor Wilhelm Stürmer (born 1812); the seated figures, the Rubenow medallion and the coats of arms were created by the Berlin artist Bernhard Afinger (1813 - 1882).*

*The head of state, Friedrich Wilhelm IV of Prussia, had suggested building the monument and so the statues of rulers occupy a dominant position. These are the secular patrons of the University – above the Rubenow medallion, Wartislaw IX, duke of Pomerania; then Bogislaw XIV; the Swedish king Frederick I; and finally Friedrich Wilhelm III of Prussia. The more important scholars in the history of the University – representing each of the original founding faculties – have to make do with corner positions. The theologian Bugenhagen, the jurist Mevius, the physician Berndt, and the historian Arndt (Philosophical Faculty) sit under little canopies on arched buttresses. These figures embody the development of Greifswald University from its foundation until the middle of the 19th century.*

# Der letzte Greifswalder Studentenkarzer

Nicht viele Universitätskarzer sind in Deutschland erhalten geblieben.[36] Einer existiert noch im Hörsaalgebäude der Rubenowstraße 1. Die Zelle von nur 9 m² ist überaus reich mit studentischen Malereien und Kritzeleien versehen. Farbige Wappen, Zirkel, Silhouetten, Namen, Sprüche und Daten bedecken Wände und die Decke. Selbst im Mobiliar, an der Karzertür, am Fenster und im Mauerwerk haben die Delinquenten ihre „Spuren" hinterlassen. Diese teils phantasievollen und farbenprächtigen Bemalungen lassen unschwer erkennen, daß die Karzerhaft für die studiosi nicht immer eine triste Zeit war. Und so ist auch die Inschrift an der mit vielen Fotografien geschmückten Tür zu verstehen: „Ein fideles Gefängnis". Diese Feststellung trifft nicht unbedingt für alle vorangegangenen Jahrhunderte zu, doch zumindest für die letzte Nutzungsphase dieses studentischen Gefängnisses. Es war von 1885 bis 1914 zum Absitzen wegen disziplinarischer Verstöße, die laut Gesetz mit nicht mehr als vier Wochen Haft geahndet wurden, in Benutzung.

Bis 1835 konnte die Universität Greifswald ihre volle Gerichtsbarkeit bewahren. Danach gingen strafrechtliche Fälle von Studenten und die Gerichtsbarkeit über Professoren und höhere Beamte an das Königliche Hofgericht über. Dem Universitätssyndikus verblieben nun nur noch die kleineren Disziplinarvergehen zur Aburteilung.

Die alma mater verfügte seit ihrer Gründung über eigene Karzerräumlichkeiten. Sie waren bis 1835 in dem jeweiligen Hauptgebäude der Universität untergebracht. Neben dem normalen Studentenkarzer existierte bis 1801 sogar ein Magisterkarzer. Es fehlen allerdings Nachrichten darüber, daß jemals ein Professor einsaß. Gelegentlich stellte man den Magisterkarzer jedoch zur Verbringung von Strafen akademisch gebildeter Personen dem Königlichen Hofgericht zur Verfügung .

Der umfangreiche Bestand an Gerichtsakten im Universitätsarchiv vermittelt noch heute ein lebendiges Bild von den oft wegen Geringfügigkeiten verhängten Strafen. Folgende Vergehen wurden beispielsweise geahndet: verbotenes Duellieren unter den korporierten Studenten, Ungehorsam gegen die Anordnungen der akademischen Behörden, fortgesetzter Besuch einer nicht angenommenen Vorlesung ohne besondere Erlaubnis des Dozenten, Beleidigung der „akademischen Obrigkeit", Sittenlosigkeit und Unanständigkeit, Umgang mit „liederlichen Weibsbildern", Spielen und Wetten, Störung der Ruhe und Ordnung, Hingabe an den Trunk oder Erregung öffentlichen Anstoßes durch Trunkenheit, nicht bezahlte Rechnungen beim Hauswirt, in Gasthäusern, beim Schneider, Frisör. Karzerstrafen von 24 Stunden bis zu drei Tagen konnten vom Rektor in Gemeinschaft mit dem Universitätsrichter, schwerere Strafen nur vom Senat auferlegt werden. Man begnügte sich aber in der Regel mit der Verhängung von ein- bis dreitägigen Haftstrafen.

Einen geradezu legendären Ruf hatte Dr. Konrad Gesterding, der von 1881 bis 1912 das Amt des Universitätsrichters innehatte und zugleich Polizeidirektor von Greifswald war. Mit viel Nachsicht duldete er die Schwächen der Studenten, Renommiersucht etwa und Duellwesen. Besonders erwähnenswert ist die 1888 von Gesterding verfaßte Karzerordnung. Die freundlich abgefaßten Vorschriften sahen im § 5 vor: „Zum Mittagessen darf der Studierende das Karzer während der Zeit von 12 - 2 Uhr Mittags auf zwei Stunden verlassen. Bei eintägiger Karzerhaft wird diese letztere Vergünstigung je-

*38. Der letzte Greifswalder Studentenkarzer*
*Hörsaalgebäude, Rubenowstraße*

59

*39. Das Karzerfenster ohne Gitter*

doch nicht gewährt!" Und im § 8 räumte der Syndikus Besuchsmöglichkeiten für die inkarzerierten Studenten ein, wovon hinreichend Gebrauch gemacht wurde: „Besuche von anderen Personen sind nur gegen Vorzeigung eines Erlaubnisscheins des Universitätsrichters zugelassen. Jedoch darf der Besuch nie länger als bis 8 Uhr Abends ausgedehnt werden."[37] So verwundert es nicht, daß Studenten die „Karzerhaft als fidelen Aufenthalt im Hotel zur akademischen Freiheit mit einem Pedell als Portier"[38] betrachteten.

Zu einigen Inschriften an den Karzerwänden:
Otto Maziejewski (Ostwand), der sich selbst als „Delinquent" bezeichnete, saß 1896 für drei Tage. Er hatte bei Gelegenheit eines verhinderten Duells den Pedell Köpke beleidigt.

Buby Bliedung (mehrere Malereien und Inschriften an der West-, Nord- und Südwand, sowie auf dem Tisch und Fensterrahmen) gehörte zu den häufigsten Insassen, und er war der eifrigste „Karzermaler". Auch mit seinem

Foto hat er sich auf der Innenseite der Karzertür verewigt. Bliedung war nach einer Kaisergeburtstagsfeier 1911 in das Konzerthaus Gruihn in die Kuhstraße gegangen und hatte dort „durch lautes Lachen, Zwischenrufe und Trampeln mit den Füßen" die Vorstellung gestört. Vom 22.2. bis 25.2.1911 mußte er die Strafe absitzen. 1912 stand er noch zweimal wegen „Widerstands gegen die Staatsgewalt" und „groben Unfugs" vor dem Universitätsrichter. [39]

Der Student Carl Dobratz, sein Name und das Datum der Haft sind mit einer Kerze an die Zellendecke gerußt, saß wegen Erregung öffentlichen Ärgernisses 1902 für fünf Tage ein. Er war an einem Februarmorgen u.a. in das Wasserbekken des Kriegerdenkmals auf dem Markt gestiegen und hatte laut geschrien.

Otto Stange: „17. IV. - 1. V. 1912 Festungsstrafgefangener mit der Erlaubnis, die Strafe in diesem Loch abzubrummen. Einmal, aber nie wieder kriech ich auf dieses Leim – 14 Tage ohne Besuch" (Westwand). Stange war wegen eines Duells, bei dem er seinen Gegner verletzt hatte, zu drei Monaten Festungshaft verurteilt, dann aber zu 14 Tagen Karzer begnadigt worden. Die lange Haftzeit und die Härte der Strafe bildeten eine Ausnahme.

Der letzte Insasse war der Theologiestudent Hans Berkenhagen, der am 18. Juli 1914 „Wegen nicht rechtzeitig angenommener Vorlesungen" 24 Stunden absaß.

Nach dem Ersten Weltkrieg hat man die Karzerstrafe nicht wieder aufgenommen. Sie zeigte außerdem keine große erzieherische Wirkung unter den Studenten. Das weitere Schicksal des Karzers und auch des unmittelbar darunter gelegenen Nebenkarzers, der mehrfach übermalt wurde, war wechselhaft. Gelegentlich als Arbeitsraum für Klausuren und Einzelprüfungen genutzt, diente er in Zeiten großer Wohnungsnot auch als Wohnraum.

1990/91 erfolgte die erste Restaurierung des ehemaligen Karzers durch den Stralsunder Hans Todemann. Die Sicherung der Bemalungen an der Westwand ist noch nicht abgeschlossen. Bei Farbschichtuntersuchungen fand der Restaurator in dem ebenfalls noch existierenden Nebenkarzer, der später übertüncht wurde, eine der oberen Zelle ähnliche ursprüngliche Bemalung. Sie soll künftig freigelegt werden. Seit 1994 ist die Universität Greifswald wieder in Besitz der ältesten erhalten gebliebenen Greifswalder Karzertür aus dem Andreas-Mayer-Bau. Sie hat im Nebenkarzer Aufstellung gefunden.

Heute stellt der Studentenkarzer eine der beliebtesten und kuriosesten Sehenswürdigkeiten der alma mater dar. Er ist ein Stück studentischer Alltags- und Kulturgeschichte an der Wende vom 19. zum 20. Jahrhundert und zugleich einer der wenigen Sachzeugen historischer akademischer Gerichtsbarkeit in Deutschland.

### The last student lock-up in Greifswald

*Not many university lock-ups have been preserved in Germany. One still exists in the lecture-hall building at 1, Rubenowstrasse. The cell, which is only nine square metres in area, is quite richly adorned with student graffiti. Coloured coats of arms, circles, silhouettes, names, sayings, dates and so forth cover the walls and ceiling. The lock-up was in use from 1885 to 1914. The extensive collection of court re-*

*cords in the University archives still communicates a lively picture of the punishments inflicted, often for petty misdemeanors. The following offences (among others) were punishable: fordbidden duelling among students in corporations; defamation of the "academic authorities"; licentiousness and indecency; illicit gaming and betting; breaches of the peace, and disorder; drunkenness; unpaid bills in lodgings or taverns and at the tailor's or barber's. Lock-up sentences ranging from twenty-four hours to three days could be imposed by the Rector jointly with the University judge; more severe punishments only by the Senate. However, the authorities usually limited themselves to one to three days' imprisonment. Special mention must be made of the lock-up regulations, drawn up by Konrad Gesterding in 1888. The student-friendly guidelines make the following provision under § 5 "Students may leave the lock-up between the hours of noon and two in the afternoon to take lunch. This privilege will not be granted to those imprisoned in the lock-up for one day only". In § 8 the syndic allowed the imprisoned students to receive visitors, a possibility of which ample use was made.*

*Today, the student lock-up is one of the most popular and curious sights at the Greifswald alma mater. It is a piece of everyday academic cultural history at the turn of the 19th and 20th centuries, and at the same time one of the few pieces of material evidence of historical academic jurisdiction in Germany.*

# Die Universitätsbibliothek

Die Universitätsbibliothek Greifswald stellt sich als bedeutende Büchersammlung dar. Dies darf jedoch nicht dazu verleiten, ihre Literaturbestände nur museal betrachten zu wollen.

Von Anfang an war die Bibliothek auf den Gebrauch durch Wissenschaft und Forschung ausgerichtet. Deshalb sind besondere Prunk- und Prachtstücke, die oft höfisch oder kirchlich veranlaßt wurden, selten zu finden.

Die Universitätsbibliothek hat etwa 1 000 Professoren und wissenschaftliche Mitarbeiter mit Literatur zu versorgen und zur Zeit etwa 5 000 Studenten Ausbildungsliteratur bereitzustellen. Bei einem Jahresetat von rund 5 Millionen DM können 50 000 - 60 000 Bücher und Zeitschriften erworben werden, wobei Literatur aus den Ostseeländern, speziell aus dem pommerschen Gebiet, seit Jahrhunderten den Schwerpunkt bildet. Heute kommen neue Medien hinzu, auf Film zum Beispiel oder als CD-ROM. Multimediale Arbeitsplätze entstehen. Die Universitätsbibliothek sieht jedoch zugleich die Verpflichtung wachsen, sich dem Alten Buch verstärkt zuzuwenden, um die etwa 200 000 Bände in ihrem Besitz, die älter als hundert Jahre sind, zu schützen, zu pflegen und zu bewahren.

Eine Bestellung vom 17. April 1604 beim Wittenberger Buchhändler Samuel Selfisch gilt heute als erster Beleg für die Existenz einer Universitätsbibliothek. Sie kann auf einen reichen Schatz an alten Beständen verweisen. Nachdem dieses wertvolle Gut in den letzten Jahrzehnten vernachlässigt wurde, kann es seit einigen Jahren erfolgreich in die Neustrukturierung der gegenwärtig 1,74 Millionen Bücher und Zeitschriften zur Verfügung stellenden Bibliothek einbezogen werden.

Die erste umfassende Erschließung der Bibliotheksbestände der alma mater gryphiswaldensis begann Mitte des 18. Jahrhunderts. Sie war das Verdienst des Professors für Wissenschaftsgeschichte und schwedisches Staatsrecht, Johann Carl Dähnert (1719-1785), der seit 1774 auch das Amt des Bibliothekars versah. Er erarbeitete ein umfangreiches Katalogwerk, das er auf eigene Kosten drucken ließ, und verwandelte die Büchersammlung der Universität in eine wissenschaftliche Gebrauchsbibliothek. In die Amtszeit Dähnerts fiel auch die 1775 erlassene Anordnung der schwedischen Regierung über das Pflichtexemplarrecht der Greifswalder Bibliothek, das den Bestand an schwedischer und finnischer Literatur entscheidend bereicherte. Dähnert selbst bemühte sich zudem stark um die systematische Erweiterung des Bestandes an pommerschen Büchern und Handschriften. Diese Bestrebungen wurden von seinen Nachfolgern zielstrebig weiterverfolgt.

Nicht zuletzt Johann Carl Dähnerts Einfluß war es zu verdanken, daß die Bibliothek schon 1749 in einen für sie gebauten Saal im neuen Universitätsgebäude einziehen konnte. Die erste barocke Saalbibliothek im nördlichen Deutschland stellte den repräsentativen Mittel- und Glanzpunkt des ganzen Gebäudes dar. Ein eigenes Gebäude erhielt die Bibliothek mehr als 130 Jahre später in der Rubenowstraße. Das heute denkmalgeschützte Domizil mit einem sehenswerten gußeisernen, sechsgeschossigen Magazin wurde von den Architekten Martin Gropius und Heino Schmieden entworfen.

Mehrere bedeutende wissenschaftliche Privatbibliotheken gelangten in den Besitz der Universität. Zu nennen ist vor allem der Ankauf des Buchbestandes der Wolgaster St. Petrikirche im Jahre 1830, der ursprünglich aus den Resten säkularisierter pommerscher Klosterbibliotheken hervorgegangen war. Der Erscheinungszeitraum der Werke – es handelt sich hauptsächlich

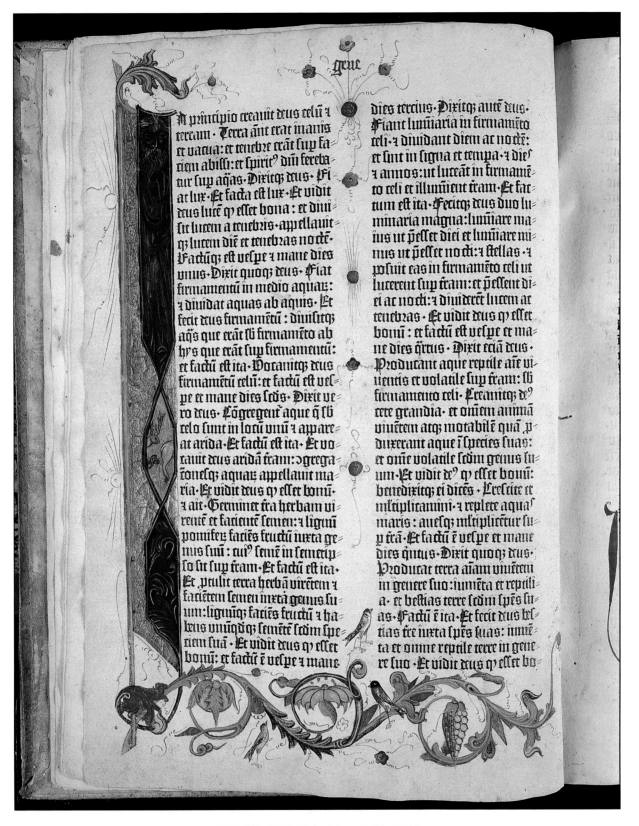

40. Biblia (B 36, Vulgata), ca. 1459 - 1460
Textseite mit Schmuckinitiale I und Rankwerk

63

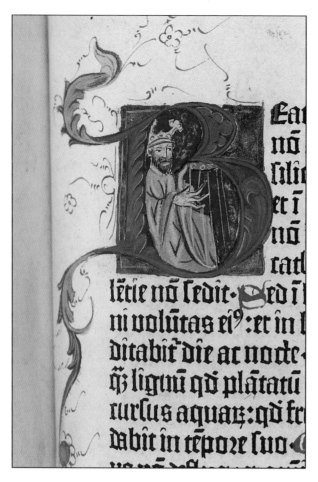

41. Biblia (B36, Vulgata), Initiale B mit König David

um theologische und juristische Literatur – reicht von den Anfängen des Buchdrucks bis zum 19. Jahrhundert.

Historisch von besonderem Wert sind die Inkunabeln, darunter das wohl seltenste Werk der Wiegendruckzeit: die 36zeilige Bibel in einer zweibändigen Papierausgabe.

Insgesamt sind 13 meist nur unvollständig erhaltene Exemplare bekannt; die Universitätsbibliothek besitzt eines der vier vollständigen Werke. Die Bibel wird nach den 36 Zeilen auf jeder Seite des zweispaltigen Textes als B 36 bezeichnet. Die B 42, jene 42zeilige Bibel, die Johannes Gutenberg selbst gedruckt hat, diente als Vorbild. Trotz zahlreicher Untersuchungen bleiben noch viele Fragen der Entstehung, Herkunft und Überlieferung offen. So sind weder Hersteller noch Druckort endgültig geklärt. Es

gibt zahlreiche Hinweise, daß die Bibel vor 1461 in Bamberg gefertigt worden ist. Nachweislich stammen fast alle Papiersorten aus Mühlen der Umgebung. Für den Druck wurde Johannes Gutenbergs sogenannte Donat-Kalender-Type in einer verbesserten Form benutzt. Von dieser Type weiß man, daß der Bamberger Erstdrucker Albrecht Pfister sie verwendete. Schließlich hat die Druckfarbe der B 36 einen ungewöhnlich hohen Anteil an Kupfer und Blei, wie er nur von den Drucken Gutenbergs bekannt ist. Dennoch ist die Frage nach Johannes Gutenbergs persönlichem Anteil an der Herstellung der B 36 nach wie vor unbeantwortet.

Im Jahre 1879 erhielt die Bibliothek eine wertvolle Zuwendung von dem preußischen Oberappellationsgericht in Greifswald, die als Vitae Pomeranorum bekannte Sammlung von fast 9 000 Personalschriften, die beispielsweise Leichenpredigten, Leichenprogramme, Trauer- und Glückwunschgedichte sowie Lebensbeschreibungen aus dem 16., 17. und 18. Jahrhundert enthält. Sie geht in ihren Ursprüngen auf den Sammeleifer des pommerschen Juristen und Vizepräsidenten des Schwedischen Tribunals in Wismar, Augustin von Balthasar, zurück und stellt heute eine wichtige Quelle der biographischen Geschichtsforschung dar.

Als weiterer Sonderbestand der Universitätsbibliothek sind die ca. 7 000 Bände der pommerschen Zeitungen zu nennen. Die älteste erhaltene ist die 1636 in Stettin gedruckte Wochenzeitung „Bericht durch Pommern".

Die Gründung einer Niederdeutschen Abteilung ließ sich in der Universitätsbibliothek erst 1906 durchsetzen. Die seltene und außergewöhnlich wertvolle Sammlung (ca. 14 000 Drucke und Handschriften) ist nach ihrer kriegsbedingten Auslagerung 1942/43 nicht mehr zurückgekehrt. Teilbestände befinden sich heute in der Universitätsbibliothek von Torun.

Der Handschriftenbestand enthält ca. 1 700 Bände, hauptsächlich neuzeitliche Kodizes und Konvolute. Es handelt sich dabei nicht nur um Bü-

42. Missale, Pergamenthandschrift, 15. Jahrhundert, Kanonbild

65

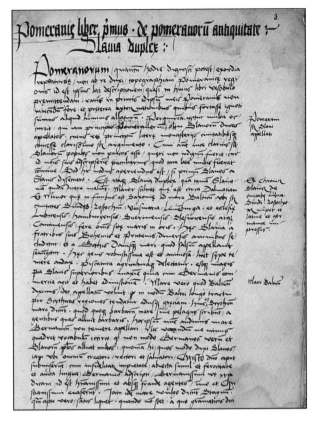

*43. Textseite der Pomerania, eigenhändiges Manuskript von Johannes Bugenhagen, 1518*

Das schönste Stundenbuch stammt aus dem Ende des 14. Jahrhunderts und ist in einer gotischen Minuskel auf feinem Pergament verfaßt. Schließlich kann sich die Bibliothek rühmen, das von Johannes Bugenhagen eigenhändig geschriebene Manuskript der ersten Geschichte Pommerns – die „Pomerania" – aus dem Jahre 1518 zu besitzen.

Im großen Bestand an sprach- und literaturwissenschaftlicher Literatur sind besonders Werke pommerscher Autoren des 19. und 20. Jahrhunderts präsent. Nicht ganz so zahlreich, aber doch vergleichsweise häufig ist die französische Literatur des 18. Jahrhunderts in Ausgaben der Zeit vertreten.

Bei den Büchern zur nordischen Sprach- und Literaturwissenschaft sind mehr als die Hälfte schwedische Titel. Und für ihre alten finnischen Drucke ist die Bibliothek weit über die Grenzen der Bundesrepublik hinaus bekannt. Ein Beispiel dafür ist das winzige „Lexicon Latino – Scondicum" von Erik Schroderus in der Stockholmer Ausgabe von 1637. Es ist das erste finnische Glossar überhaupt und enthält die vier Sprachen lateinisch, schwedisch, finnisch und deutsch.

cher, sondern u. a. auch um Urkunden, Verwaltungsunterlagen, Briefe, Autographen. Sehr wertvoll sind die fast vierzig Handschriften – überwiegend Gebrauchshandschriften in gotischer Schrift ohne besonderen Buchschmuck – aus dem Mittelalter. Zu den interessantesten Stücken gehört ein sehr umfängliches, in einer Textura zweispaltig auf grobem Pergament geschriebenes Missale aus dem 15. Jahrhundert mit dem üblichen ganzseitigen Kanonbild im originalen Ledereinband über Holzdeckeln mit Beschlägen.

Eine weitere Kostbarkeit stellt eine in einer sehr schönen Bastarda auf Papier geschriebene, mit farbigem Rankenwerk und Initialen geschmückte Handschrift der Komödien von Terenz dar, in der sowohl der Name des Schreibers als auch das Entstehungsjahr 1453 genannt ist. Hervorhebenswert sind außerdem einige kleinformatige Gebetbücher mit farbenprächtiger Malerei.

*44. Lexikon Latino-Scondicum*

66

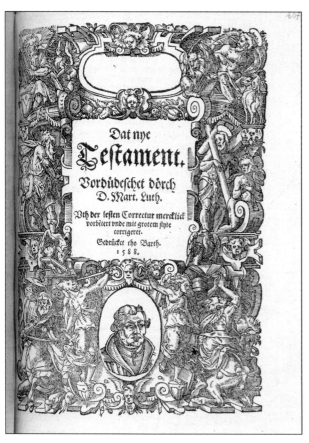

45. Biblia (niederdeutsch), Barth 1588, Titelblatt

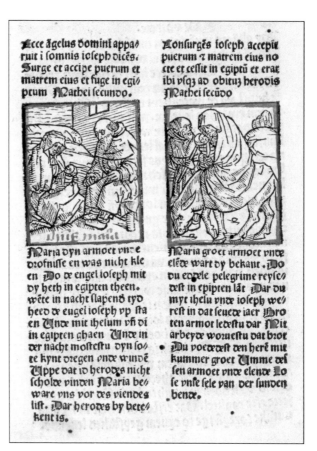

46. Thomas a Kempis: De imitatione Christi.
Dat boek van der navolghinge ihesu christi,
Textseite mit Holzschnitten

Der theologische Buchbestand bildet mit seltenen Bibelausgaben einen Schwerpunkt. Außer der bereits genannten 36zeiligen Bibel sind drei weitere lateinische Inkunabeln und allein mehr als 30 Ausgaben aus dem 16. Jahrhundert zu nennen. Die Reihe der frühesten deutschsprachigen Bibeln wird von der bekannten illustrierten Ausgabe des berühmten Nürnberger Druckereiunternehmers Anton Koberger (1483) angeführt. Selbstverständlich gehört auch die 1588 in der kleinen, dennoch sehr leistungsfähigen herzoglichen Druckerei des pommerschen Residenzstädtchens Barth gefertigte Bibel in niederdeutscher Sprache zum Bestand. Diese ist reich mit meisterhaften Illustrationen geschmückt, deren Bildstöcke als Metallklischees nach Vorlagen des bekannten Hamburger Goldschmiedes und Kupferstechers Jacob Mores d. Ä. angefertigt worden waren. Zu den frühen niederdeutschen theologischen Drucken gehört zudem das bekannte Werk „Die Nachfolge Christi" des Thomas von Kempen in seiner Lübecker Ausgabe von 1489 - 1492.

Unter dem hymnologischen Schrifttum befindet sich eine Sammlung von über 2 000 Gesangbüchern. Schließlich sind die äußerst seltenen Sektenschriften hervorzuheben.

Der juristische Buchbestand glänzt ebenfalls durch inzwischen sehr selten gewordene Druckwerke aus dem 16., 17. und 18. Jahrhundert. Dazu zählt zum Beispiel ein Exemplar des zum Zivilprozeßrecht gehörenden und seit 1572 mehrfach verlegten Buches „Practica vnd Process der Gerichtsleuffte nach dem brauch Sechsischer Landart" von Kilian König in der von Hans Steinmann in Leipzig 1581 gedruckten Ausgabe.

67

*47. Kilian König: Practica vnd Process der Gerichtsleuffte nach dem brauch Sechsischer Landart, Leipzig 1581 Titelblatt und Exlibris der Universitätsbibliothek sowie eigenhändige Inventarnummer von Johann Carl Dähnert*

Im sehr umfangreichen Bestand historischer Literatur findet sich das mit 1 809 Holzschnitten am reichsten illustrierte Buch der Inkunabelzeit, die „Weltchronik" des Nürnberger Humanisten Hartmann Schedel, ebenfalls von Anton Koberger gedruckt. Ihre zahlreichen Städteabbildungen sind teils authentisch teils reine Phantasieprodukte. So wurde beispielsweise in der lateinischen Ausgabe vom 12. Juli 1493 der zur Illustration der Beschreibung Litauens verwendete Holzschnitt in der noch im selben Jahr erschienenen deutschsprachigen Ausgabe der Stadt Trier zugeordnet.

Eine besondere Rarität stellt die Erstausgabe der „Gesta Danorum" des Saxo Grammaticus dar, die der dänische Humanist Christiernus Petri, der eine Zeitlang in Greifswald studierte, bei dem hervorragenden Pariser Drucker Jodocus Badius Ascensius im Jahre 1514 besorgte.

Von den großen zeitgeschichtlichen Darstellungen des 17. Jahrhunderts sei nur das monumentale Werk der berühmten Frankfurter Kupferstecherfamilie Merian erwähnt – das „Theatrum Europaeum" (21 Bände, 1638 - 1738). In chronologischer Reihenfolge – illustriert mit zahlreichen in Kupfer gestochenen Bildnissen, Karten und Plänen – werden hundert Jahre Weltge-

schichte (1618 - 1718) abgehandelt. Einen Schwerpunkt bildet die Beschreibung der Schauplätze des Dreißigjährigen Krieges. Über die Zeit von der Französischen Revolution bis zum Wiener Kongreß sind im historischen Buchbestand zahlreiche zeitgenössische Dokumente und viele Werke der Memoirenliteratur vorhanden. Umfangreiche Quellenausgaben betreffen die Geschichte des deutschen Parlamentarismus. Den dominierenden Platz innerhalb der deutschen Geschichte nimmt selbstredend Pommern ein.

Zum Bestand an geographischen und kartographischen Druckwerken gehören auch Atlanten und Weltkarten aus niederländischen Werkstätten des 17. Jahrhunderts sowie zahlreiche historische Kriegskarten.

*48. Saxo Grammaticus: Gesta Danorum, Paris 1514, Titelblatt*

68

*49. Johannes Hevelius: Machina coelestis, Danzig 1673*
*Titelblatt mit Autograph des Freiherrn Otto von Schwerin*

Wenn auch der naturwissenschaftliche Buchbestand weniger reich an alten Druckwerken ist, so sind doch einige bemerkenswerte Ausgaben zu nennen. So beispielsweise frühe alchimistische Bücher, wie das von dem bekannten Straßburger Verlagsbuchhändler Lazarus Zetzner zwischen 1602 und 1622 herausgebene fünfbändige „Theatrum chymicum" oder die „Chymische Hochzeit: Christiani Rosenkreutz" (Straßburg 1616). Hinzuweisen ist außerdem auf die seltene Schrift zur Farbenlehre des Wolgaster Malers der Romantik Philipp Otto Runge (1777 -1810),

„Farben-Kugel" (Hamburg 1810), und die deutschsprachige Ausgabe des Vogelbuches „De avibus" (Zürich 1557) des berühmten Schweizer Naturforschers und Polyhistorikers Konrad Gessner (1522 - 1613). Unter den botanischen Werken ragt die deutschsprachige Ausgabe des von dem in königlich-dänischen Diensten stehenden Botanikers und Arztes Georg Christian Oeder herausgegebenen Kupferstichwerkes „Flora Danica" (11 Bände, Kopenhagen 1761-1819) heraus.

Einen buchgeschichtlich bemerkenswerten Schwerpunkt der Literatur zur Astronomie setzen zeitgenössische Ausgaben der Werke von Tycho Brahe, Galileo Galilei und Johannes Kepler. Von dem Danziger Astronomen und Brauereibesitzer Johannes Hevelius (1611 - 1687) ist dank einer Schenkung des Greifswalder Mathematikers Andreas Mayer von 1749 die nur noch in wenigen Exemplaren erhaltene und in der Druckerei des Verfassers besorgte Erstausgabe der „Machina coelestis" aus dem Jahre 1673 mit dem Autograph des Freiherrn Otto von Schwerin vorhanden. Im Bestand an medizinischer Literatur finden sich zahlreiche frühe Fachzeitschriften. Dazu gehören zum Beispiel die „Acta medica et philosophica Hafniensia" (Kopenhagen 1673-1680) und die „Neueste medizinisch-chirurgische Journalistik des Auslandes" (Berlin 1830-1835). Nicht vergessen werden darf ein Hinweis auf eines der ersten gedruckten Kräuterbücher – „Herbarius" genannt –, das 1484 in Mainz von dem Gutenbergschüler Peter Schöffer gedruckt wurde. Es enthält zahlreiche kolorierte, stark vereinfachte Holzschnitte von Pflanzen mit ihren lateinischen und deutschen Bezeichnungen.

## The University Library

The University Library, founded in 1604, is a significant collection of books. From the very beginning it was designed to serve scholarship and research.

The first catalogue of the library's stocks was begun in the middle of the 18th century by Johann Carl Dähnert (1719 - 1785) who held the post of Librarian from 1774. It was during his period of office that the Swedish government issued a regulation making it obligatory to supply Greifswald University with a copy of each book published in Sweden (1775), which greatly improved the stock of Swedish and Finnish literature. The year 1830 saw the purchase of the books belonging to St. Peter's Church in Wolgast. The pearl among them was what is probably the rarest work from the incunabulum period – the 36-line bible in a two-volume paper edition, which was probably printed in Bamberg. In 1879 the Prussian High Court of Appeal in Greifswald presented the Library with the collection of 9,000 personal records known as the Vitae Pomeranorum.

Another special feature of the Library are the roughly 7,000 volumes of Pomeranian newspapers.

It was not until 1906 that resistance was overcome and a Low-German department introduced to the Library. The rare and extraordinarily valuable collection (consisting of about 14,000 printed works and manuscripts) disappeared after it was evacuated in 1942 - 43 to escape war damage.

Mention must also be made of the manuscript collection, in roughly 1,700 volumes, which comprises mainly modern codices and bundles – books, certificates, administrative papers, letters, autographs, etc.

A large proportion refer to Pomerania. The almost forty manuscripts from the Middle Ages – mainly functional manuscripts in Gothic script without any special decoration – are extremely valuable.

In the large collection of books relating to linguistic and literary studies the works of Pomeranian authors of the 19th and 20th centuries are especially well represented. More than half the titles dealing with Nordic linguistic and literary studies are in Swedish. The Library is famous far beyond Germany's borders for its old Finnish editions. One example is the tiny Lexikon Latino-Scondicum in the Stockholm edition of 1637. It is the very first Finnish glossary.

The theological collection, with valuable editions of the bible, is particularly strong. The law collection also excels in 16th, 17th and 18th century editions which in the course of time have become very rare.

The Library has the biggest collection of Pomeranica anywhere, ranging from overviews to one-side prints, e. g. a collection of Greifswald theatre programmes.

Although the natural-science collection is not as rich in old works, there are several remarkable volumes worthy of mention, especially early books of alchemy, such as the five-volume "Theatrum chymikum" published between 1602 and 1622 by the Straßburg publisher and bookseller Lazarus Zetzner.

The collection of medical literature includes many early specialist medical periodicals, such as the "Acta medica et philosophica Hafniensia" (Copenhagen 1673 - 1680).

70

# Das Universitätsarchiv

Für die sichere Aufbewahrung der Universitätsurkunden war schon in der sogenannten „Eintrachtsurkunde" vom 21. Oktober 1456 gesorgt worden. Bis Ende des 16. Jahrhunderts befanden sie sich in der Nikolaikirche. Mit der Neuerrichtung des Ernst-Ludwig-Baus (1591-1596) fand eine Umlagerung in eigene Archivräumlichkeiten statt. Im Nachfolgebau von Andreas Mayer befand sich das Archiv zunächst im Erdgeschoß des Ostflügels, jetzt erstrecken sich die Diensträume und Magazine von Eingang II bis Eingang IV.

Der Urkundenbestand setzt mit dem Jahre 1392 ein und endet 1795. Er umfaßt päpstliche, herzoglich-pommersche, königlich-schwedische, königlich-polnische sowie eine größere Anzahl bischöflicher und privater Urkunden. Von den Handschriften sind besonders die Matrikel, die Annalen, Dekanatsbücher der Juristischen- und Artistenfakultät sowie alte Statuten der Philosophischen Fakultät erwähnenswert. Das Archiv bewahrt u. a. alle die Entstehung der Universität betreffenden Schriftstücke auf, darunter die Gründungsurkunde der Hohen Schule, ferner die Fachbereichsarchive der Medizinischen, der Theologischen (beide beginnend im 16. Jahrhundert), der Philosophischen (beginnend im 17. Jahrhundert) und der Juristischen (beginnend im 19. Jahrhundert) Fakultäten. Die Rektoratsakten (Konzil) setzen mit dem 16. Jahrhundert ein, gleichfalls die des ehemaligen Kuratoriums.[40]

Einer wissenschaftlichen Auswertung der Archivalien seit dem 19. Jahrhundert nahmen sich vor allem Kosegarten, Fritz Curschmann, Adolf Hofmeier und Roderich Schmidt an.[41]

Die Stiftungsbulle der Universität wurde von Papst Calixtus III. am 29. Mai 1456 bei St. Peter in Rom ausgestellt. Durch dieses Dokument verlieh der oberste Kirchenherr der Hohen Schule die Privilegien eines Generalstudiums, gestattete die Eröffnung der üblichen vier Fakultäten, ernannte den Bischof von Cammin zum Kanzler und bestellte ihn sowie den Bischof von Brandenburg zu Konservatoren. Die Bulle wurde am 17. Oktober 1456 bei der Eröffnungsfeier in der Greifswalder Nicolaikirche bekannt gegeben. Mit sehr deutlicher Minuskel ist der Text auf Pergament geschrieben. Als äußeres Zeichen des Rechtscharakters der Urkunde befindet sich am unteren Rand an einer Schnur das päpstliche Bleisiegel. Es zeigt auf der Vorderseite die Apostelköpfe von Petrus und Paulus und verzeichnet auf der Rückseite den Namen von Calixtus.

Nach der Gründung der Universität wurde eine Chronik angelegt, die wichtige Ereignisse ihrer Geschichte festhielt. Sie umfaßte jedoch nur die

*50. Gründungsurkunde der Universität Greifswald von 1456*

71

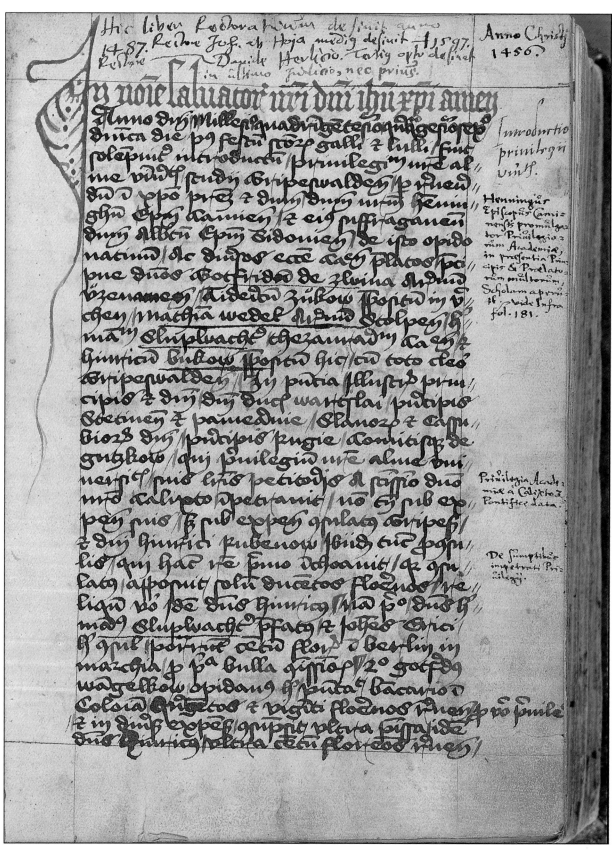

51. Erste Seite der Annalen, 1456 von Rubenow angelegt. Bericht über die feierliche Einholung der Stiftungsurkunde

72

Jahre 1456 bis 1487 mit 53 Rektoraten. Danach wurde sie abgebrochen. Den Inhalt bilden Promotionen, Disputationen, Berufungen, aber auch städtische und Landesangelegenheiten sowie ein Register der an der Universität verwahrten Urkunden.

Zu den bedeutendsten handschriftlichen Quellen der Universitätsgeschichte Greifswalds gehören 17 Bände (1456 - 1954) der Matrikel. In den Verzeichnissen wurden die Studenten bei ihrer Immatrikulation, anfangs in lateinischer Sprache mit Namen, Herkunftsland oder -ort, und seit 1882 in deutscher Sprache mit ausführlichen Angaben eingetragen. Der erste Band der Universitätsmatrikel wurde von Rubenow angelegt, die Eintragungen bis 1461 unter seiner Aufsicht von einem Schreiber vorgenommen. Später trug jeder Rektor selbst die Namen der während seiner Amtszeit aufgenommenen Studenten ein. Außerdem hielten die Rektoren auch denkwürdige Begebenheiten fest.

Eine weitere Urkunde ist mit der eigenhändigen Unterschrift des Pommernherzogs Bogislaw XIV. und mit dessen Majestätssiegel verse-

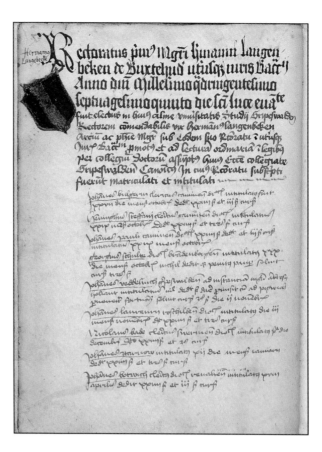

*53. Erster Band der Universitätsmatrikel*
*Eintragung des Rektors Hermann Langenbecke*
*für das Rektorjahr 1475/76*

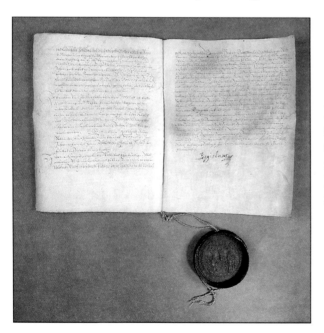

hen. In dem Dokument übereignet er der Universität den 14 500 Hektar umfassenden Grundbesitz des Amtes Eldena. Damit wollte er der infolge der Auswirkungen des Dreißigjährigen Krieges in ihrer Existenz bedrohten Hochschule materielle Unterstützung geben.

*52. Schenkungsurkunde von Herzog Bogislaw XIV.,*
*ausgestellt am 15. Februar 1634*

73

## The University Archives

*The documentary corpus of the University Archives starts in the year 1392 and ends in 1795. It comprises Papal, Pomeranian ducal, Swedish royal, Polish royal and a large number of episcopal and private documents. Of the manuscripts the three volumes of immatriculation registers, the Annals, the books of the deans' offices in the Faculties of Law and Arts, and the old Statutes of the Philosophical Faculty are worthy of special mention. The Archives preserve all the documents relating to the foundation of the University (including the foundation instrument), the archives of the Medical Faculty and the Theological Faculty (both beginning in the 16th century), the Philosophical Faculty (beginning in the 17th century) and the Law Faculty (beginning in the 19th century). The records of the Rector's office (Council) begin in the 16th century, as do those of the former Curatory. The foundation bull was issued by Pope Calixtus III at St. Peter's in Rome on 29 May 1456. With this document the head of the Roman church granted Greifswald the privilege of a studium generale, permitted the opening of the usual four faculties, named the bishop of Cammin as Chancellor and installed him and the bishop of Brandenburg as Conservators.*

*After the foundation of the University a chronicle was begun, which recorded important events in its history. However, the chronicle covered only the years 1456 to 1487, with 53 Rectorships.*

*The 17 volumes of immatriculation registers (1456 - 1954) are among the most important manuscript sources of Greifswald University's history. The students were entered in the registers on immatriculation with name and country or place of origin, at first in Latin, and from 1882 in German with detailed information. The first volume of the immatriculation registers was set up by Rubenow.*

# Sammlungen einzelner Institute und der Botanische Garten

Die hier vorgestellten elf Sammlungen bilden heute einen unentbehrlichen Teil im Studienbetrieb der Greifswalder Hochschule. Im Unterschied zu „öffentlichen" Museen gibt es Besonderheiten, die sich aus der Struktur und den Aufgaben einer Universität ergeben. Die akademischen Sammlungen entstanden in erster Linie als Hilfs- und Dokumentationsmittel für Lehre und Forschung. Historisch gewachsen, zeigen sie die Wissenschaftsgeschichte über oft mehrere Gelehrtengenerationen. Nicht selten spielten subjektive Interessen und spezielle Forschungsambitionen einzelner Wissenschaftler eine Rolle. Als Beispiel sei die Sammlung zur Biblischen Landes- und Altertumskunde erwähnt, die während Gustaf Dalmans Tätigkeit als erster Direktor des Deutsch-Evangelischen Instituts für Altertumswissenschaft in Jerusalem entstand.

Heute sind die Institutssammlungen eingebunden in das universelle Studienprogramm und in die Öffentlichkeitsarbeit der Universität.

*Collections of the individual Departments; the Botanical Garden*

*The eleven collections presented here form an indispensable part of tuition at Greifswald University. In comparison to public museums there are a number of special features deriving from the structure and tasks of universities. The academic collections came into being first and foremost as resources and documentation for teaching and research.*

75

# Die Sammlungen des Instituts für Anatomie

Das Institut für Anatomie beherbergt zwei größere Sammlungen, die im norddeutschen Raum ihresgleichen suchen. Deren Geschichte beginnt mit der Gründung eines Anatomischen Theaters und einer von Andreas Westphal (1720 - 1788) begründeten Greifswalder Anatomischen Sammlung. Seit 1855 befindet sich diese in dem jetzigen Institutsgebäude. Sie wurde durch Ankäufe aus anderen Beständen, durch private Spenden und Anfertigungen neuer Exponate vergrößert und wird heute auf einer Fläche von 350 qm ausgestellt.

Die **vergleichend-anatomische** Sammlung beinhaltet Skelette von Fischen, Reptilien, Vögeln und Säugetieren. Bemerkenswerte Exponate sind ein Delphinskelett (ein im Greifswalder Bodden gestrandetes Tier), ein Straußenskelett aus

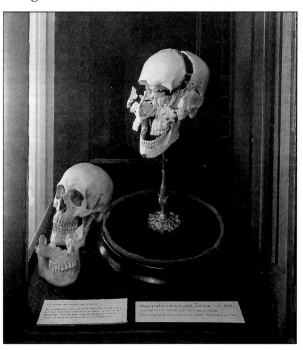

*54. Gesprengter Schädel zur Demonstration der einzelnen Schädelknochen*

Algerien sowie das Skelett einer Riesenschlange (Python) von ca. 7 m Länge. Zudem ist auf eine Exposition zahlreicher menschlicher Schädel verschiedener Rassen und aus vielen Ländern zu verweisen, die z. T. Besonderheiten und Deformierungen zeigen. Hervorzuheben ist auch die Kollektion von Menschenaffenschädeln, die vor allem von Richard Nicolaus Wegner (1884 - 1967) angelegt wurde.

Innerhalb der vergleichend-anatomischen Sammlung wurden zwei ständige Ausstellungen, über die phylogenetische Entwicklung des Gebisses und der von Gliedmaßen, eingerichtet.

Die **Human-anatomische** Sammlung demonstriert den Aufbau des menschlichen Körpers auf der Grundlage von Körperteilen und einzelner Organe. Sie ist nach dem Prinzip der systematischen Anatomie aufgebaut und enthält einige seltene Exponate: Trockenpräparate aus dem vorigen Jahrhundert, die Gebärmutter einer Schwangeren zu Beginn der Geburt mit bereits geöffnetem Muttermund, embryologische Knochen- und Feuchtpräparate aus den ersten Schwangerschaftswochen und -monaten, einen gesprengten Schädel und den Schädel eines Stettiner Webers mit bemerkenswerten Wachstumsstörungen (Kahnschädel).

Schließlich beherbergt die Human-anatomische Sammlung Modelle aus Gips, Wachs und Kunststoff, die z. T. dem studentischen Unterricht in Vorlesung und Seminar sowie dem Selbststudium dienen. Hier sind besonders jene zur Frühentwicklung von der Befruchtung bis zur Einnistung der Keimblase in der Gebärmutter sowie die zur Gesichtsentwicklung hervorzuheben. Letztere wurden auf der Grundlage der bahnbrechenden Untersuchungen des Greifswalder Anatomen Carl Peter (1870 - 1955) konzipiert und hergestellt.

55. Teil der Affenschädelsammlung (Orang Utan, Gorilla, Schimpanse)

77

## Collections of the Anatomical Department

*The Department of Anatomy houses two fairly large collections, unequalled in Northern Germany. Their history begins with the foundation of an anatomical theatre and the Greifswald Anatomical Collection, the latter inaugurated by Andreas Westphal (1720 - 1788). The comparative anatomical collection con-* *tains skeletons of fish, reptiles, birds and mammals. The human anatomical collection demonstrates the structure of the human body on the basis of body-parts and individual organs, and is arranged according to the principles of systematic anatomy.*

# Zoologisches Museum des Zoologischen Instituts

Die Anfänge des Zoologischen Museums gehen auf ein Naturalienkabinett zurück, das im Hauptgebäude der Universität untergebracht war. 1819 übernahm Christian Friedrich Hornschuch dieses „Naturhistorische Museum" und entwickelte es zusammen mit Wilhelm Schilling (Pommernsammlung) und Friedrich Christian Henric Creplin (Entozoensammlung) zu einer der bedeutendsten Sammlungen seiner Zeit. 1936 wurde diese in die Bachstraße 11/12 überführt.

Nach dem Tode von Reinhold Buchholz, der ab 1864 als Kustos tätig war und die Bestände infolge seiner Forschungsreisen bedeutend erweiterte, übernahm 1876 Adolf Gerstäcker die Leitung des Zoologischen Museums. Gerstäcker bearbeitete vor allem Expeditionsausbeuten und hinterließ eine an Typen reiche Insektensammlung. Unter seinem Nachfolger Gustav Wilhelm Müller gelang die Vergrößerung des Museums durch Ankauf eines Nachbargebäudes. Die umfangreiche Lepidopterensammlung Pogges und neue Skelette konnten nun aufgestellt werden. Müller selbst schuf eine wertvolle Sammlung von Ostracoden.

Eine zusätzliche räumliche Erweiterung erfolgte durch einen Umbau im Jahre 1927/28 unter Paul Buchner. Seither werden die Bezeichnungen Zoologisches Institut und Museum geführt.

Aufgrund der großen Bedeutung der Bestände für die Hochschulausbildung wurde eine zentrale Demonstrationssammlung (185 qm) neben dem Hörsaal eingerichtet, die seit 1979 auch wieder der Öffentlichkeit zugänglich ist. Diese enthält u. a. wertvolle Beispiele heimischer Vögel (Pommernsammlung) sowie eine systematische Kollektion aller Tiergruppen, in der auch eine Reihe bereits ausgestorbener Arten vertreten sind. Der Großteil der Präparate ist magaziniert untergebracht und dient rein wis-

senschaftlichen Zwecken (wissenschaftliches Sammlungsmagazin). Wertvollster Bestandteil ist die über 2 100 Kästen umfassende Insektensammlung, die stetig ergänzt wird.

Alle Sammlungsteile werden weitergeführt und ergänzt (auch durch Materialankäufe). Schwerpunkte liegen auf der Erfassung von Belegen der einheimischen Fauna und in der Ergänzung und Erweiterung der Insektenbestände, vorwiegend jener Gruppen, die im Hause taxonomisch bearbeitet werden.

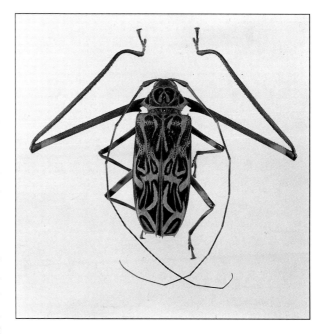

56. Harlekinbock

79

## Zoological Museum of the Zoological Department

The beginnings of the Zoological Museum can be traced back to a natural-history collection in the University Main Building. In 1819 C. F. Hornschuch took over this "Natural History Museum" and together with W. Schilling (Pomeranian collection) and C. F. Creplin (entozoa collection), developed it into one of the most important collections of its day. It was transferred to 11/12, Bachstraße in 1936.

Because of the great significance of its exhibits for university courses, a central demonstration collection (185 square metres) was installed next to the lecture hall. This contains, among other things, precious examples of native birds (Pomeranian collection) and a systematic collection of all animal groups, including a number of species which are already extinct. The majority of the specimens are kept in store and serve purely scientific purposes (scientific collection store). The most valuable part is the scientific entomological collection, comprising over 2,100 display cases, which is continuously being added to. All parts of the collection are being continued and supplemented. The main areas of emphasis are the documentation of native fauna and the expansion of the insect collection.

# Sammlungen des Botanischen Instituts

Das Botanische Institut der Universität Greifswald ist im Besitz eines umfangreichen Herbariums. Dieses enthält überwiegend Bestände aus der zweiten Hälfte des 19. Jahrhunderts mit hohem wissenschaftlichen und kulturhistorischen Wert. Herbarien sind für viele Bereiche der Botanik notwendig, so z. B. für Untersuchungen des Aufbaus, der Verbreitung und der Verwandtschaftsverhältnisse von Pflanzen.

Der Botanik-Professor Julius Münter (1815 - 1885) begründete um 1850 das Botanische Museum, wobei der Schwerpunkt auf dem Sammeln von Pflanzen lag. Das Material wurde auf Reisen im damaligen Neu-Vorpommern, insbesondere durch Münter selbst und seine beiden Assistenten Hermann Zabel (1832 - 1912) und Ludwig Holtz (1824 - 1907), zusammengetragen. Sehr wertvoll ist das eingegliederte Herbar von Theodor Marsson (1816 - 1892), das alle Belege zu seiner „Flora von Neu-Vorpommern und den Inseln Rügen und Usedom" enthält.

Einige Bestände stammen aus der Zeit vor der Gründung des Botanischen Museums. Das Botanische Institut erhielt z. B. Herbarien aus der Landwirtschaftlichen Akademie Eldena. Andere ältere Sammlungen sind durch Münter dem Herbarium zugeführt worden, so etwa die von Christian Friedrich Hornschuch (1793 - 1850) und Christian Ehrenfried Weigel (1748 - 1831). Hornschuch war dem Naturforscher und Dichter Adalbert von Chamisso freundschaftlich verbunden.

Durch Tausch mit und Kontakte zu anderen Botanikern gelangten auch Belege aus anderen Gebieten und zahlreiche Exsiccatenwerke ins Herbarium. Unter Exsiccatenwerken versteht man Pflanzensammlungen, die in mehreren identischen Sätzen präpariert und an andere Herbarien verteilt worden sind. Sie besitzen gedruckte oder vervielfältigte Etiketten, werden in fortlaufenden, durchnumerierten Serien herausgegeben und beinhalten gleichartige Exemplare von ein- und demselben Fundort.

Das Herbarium enthält Belege von vielen Sippen, die inzwischen in Vorpommern ausgestorben oder vom Aussterben bedroht sind, und ist für die Untersuchung von Florenveränderungen unerläßlich. Der gegenwärtige Umfang des Herbariums wird auf etwa 100 000 Belege geschätzt.

Zum Botanischen Museum gehören außerdem historisch wertvolle wissenschaftliche Geräte, Holz- und Drogensammlungen sowie zahlreiche Präparate, z. B. von Kulturpflanzen und exotischen Früchten.

### Collections of the Botanical Department

*The Botanical Department's herbarium is of national importance. It contains chiefly exhibits from the second half of the 19th century; its great value lies in the field of scientific and cultural history. The Professor of Botany Julius Münter (1815 - 1885) founded the Botanical Museum around 1850, the main emphasis being the collection of plants in West Pomerania. The incorporated collection of Theodor Marsson (1816 - 1892), which contains all the specimens used as evidence in his "Flora of New West Pomerania and the Islands of Rügen and Usedom", is of great value. The herbarium also contains specimens of many tribes which are already extinct or in the process of becoming extinct in West Pomerania and is therefore indispensable for research into changes in flora. The present size of the herbarium can be estimated as approximately 100,00 specimens.*

57. Die 1837 von Hornschuch gesammelte Arnika gehört heute zu den vom Aussterben bedrohten Pflanzen.

58. Beispiel für ein Exsiccatenwerk aus der von Hohenacker herausgegebenen Sammlung „Arzneien- und Handelspflanzen"

# Botanischer Garten

Die Gründung des Botanischen Gartens geht auf das Jahr 1763 zurück. Zu diesem Zeitpunkt wurde er zwischen Collegiengebäude (heute Universitätshauptgebäude) und Stadtmauer von dem Magister Samuel Gustav Wilcke als „hortus medicus" (Arzneipflanzengarten) angelegt. Der Pflanzenbestand hatte allerdings keinesfalls nur medizinischen Charakter, deshalb findet sich bereits ein Jahr später die Bezeichnung „hortus academicus" – entsprechend der zunehmenden Bedeutung der Botanik als eigenständiger Wissenschaft.

Durch die in der zweiten Hälfte des 19. Jahrhunderts einsetzende Bautätigkeit am ursprünglichen Standort wurde die Anlage in ihrer Funktionstüchtigkeit eingeengt. Aus diesem Grund trieb Prof. Julius Münter Pläne voran, den Garten zu verlagern. 1886 konnte so auf einer zwei Hektar großen Fläche zwischen Soldtmann- und Grimmer Straße ein neuer Komplex mit Gewächshäusern – im wesentlichen bestehend aus Palmen-, Kalt- und Warmhaus – fertiggestellt werden. Diese Bauten bilden auch heute, nach über 100 Jahren Nutzung, den Kern der auf 16 Gewächshäuser – mit 1 400 qm Glasfläche – erweiterten Anlage, von der über die Hälfte den Besuchern zugänglich ist.

Ein auf dem Arboretumgelände in der Friedrich-Ludwig-Jahn-Straße errichtetes Foliengewächshaus (300 qm) dient Anzuchten. Die Palette der Kulturen reicht dabei von tropischen Nutzpflanzen über Palmen, Sukkulente (hierunter mehrere Hundert Kakteen), den auf anderen Pflanzen wachsenden Epiphyten und insektenfangenden Carnivoren bis zu den entwicklungsgeschichtlich wichtigen Palmfarnen. Großes Interesse erwecken die zahlreich vorhandenen tropischen Orchideen, von denen zu jeder Jahreszeit etliche Arten blühen und in einer ständig wechselnden Ausstellung gezeigt werden.

Eine besondere Attraktivität weist das Wasserpflanzenhaus auf, wenn in den Sommermonaten die Riesenseerosen (Victoria) ihre überdimensionalen Schwimmblätter entfalten. Weitere Spezialsammlungen werden den gesonderten Ansprüchen von Lehre und Forschung gerecht. Das Freiland im Umfeld der Gewächshäuser wird geprägt von den Abteilungen für Gewürz- und Heilpflanzen – letztere ein wichtiger Bestandteil der pharmazeutischen Ausbildung –, dem in Form eines Steingartens angelegten Alpinum, einer Wasserpflanzensammlung (Paludarium) inklusive naturnah angelegter Teichanlage mit einheimischen Sumpf- und Wassergewächsen, sowie dem Rest des ehemals weitläufigeren Systems. In den Sommermonaten kann man durch subtropische Hartlaubvegetation wandeln – bestehend u. a. aus Lorbeer, Ölbaum, Myrte und Korkeiche –, die als Kübelpflanzen auf speziellen Stellflächen arrangiert sind, winters aber im Kalthaus gehalten werden müssen. Unter den

*59. Die Orchideen bilden einen Sammelschwerpunkt des Gartens (Cymbidium-Hybride)*

83

Freilandgehölzen ist ein mehrstämmiger Fächer-blattbaum (Ginkgo biloba) besonders bemer-kenswert, der als einer der ältesten in Nord-deutschland gilt.

1934 wurde die Erweiterung des Botanischen Gartens mit der Grundsteinlegung für das heu-tige Arboretum, damals noch am Stadtrand ge-legen und „Neuer Garten" genannt, in Angriff ge-nommen. Der Aufbau fand 1939 mit Ausbruch des 2. Weltkrieges zunächst ein abruptes Ende. In den 50er Jahren konnten die Pflanzungen unter dem Direktorat von Prof. Heinrich Borris wiederaufgenommen und erweitert werden, so daß dieser Gartenteil heute eine Fläche von knapp acht Hektar umfaßt. Seit der Gründer-zeit sind viele alte Bäume zu stattlicher Größe herangewachsen und geben der Anlage die At-mosphäre einer großzügig gestalteten Parkanlage.

Das Greifswalder Arboretum gehört dabei zu den wenigen Gehölzsammlungen, die nach pflanzengeographischen Gesichtspunkten kon-zipiert und geordnet sind. Die Bäume und Sträucher stehen so länder- bzw. regionenspezi-fisch in Quartieren wie Sibirien, Ostasien und Nordamerika, aber auch nach gärtnerischen Kul-turformen gruppiert, zusammen. Die Darstellung muß dabei auf Arten und Sorten beschränkt blei-ben (derzeit immerhin 1 400 verschiedene), die sich im hiesigen Freiland kultivieren lassen. So-mit finden sich überwiegend Vertreter der Nord-hemisphäre. Zum Teil wird der landestypische Unterwuchs gezeigt; besonders auffällig ist dies im Japan-, Buchen- oder Fichtenwald-Quartier. Staudenrabatten an exponierten Gartenbereichen runden das Bild ab.

In dem 1972 geschaffenen Heidegarten ste-hen gärtnerisch-gestalterische Aspekte im Vor-dergrund. Die Erikagewächse, zu diesen gehö-ren neben den Heidekräutern auch die Rhodo-dendron-Arten, stellen zugleich einen Sammel-schwerpunkt dar. Der dem Arboretum ange-schlossene Kulturpflanzengarten beherbergt vornehmlich einjährig kultivierte Arten, die zu-vorderst nach der Art des gelieferten bzw. ge-nutzten Produktes gruppiert sind. So sind z. B. die Nahrungspflanzen unterteilt in Lieferanten, u. a. für Eiweiß, Fett und Öl sowie für Kohlen-hydrate. Daneben werden zahlreiche Sommer-blumen gezeigt.

Der Greifswalder Garten ist eine primär der wis-senschaftlichen Lehre und Forschung verpflich-tete Einrichtung, die dafür ständig ein Sortiment von etwa 8 000 verschiedenen Pflanzensippen bereithält. Er ist in internationale Kooperatio-nen mit etwa 400 anderen Gärten und Institu-tionen eingebunden und arbeitet in Program-men zum Schutz bedrohter Pflanzenarten mit.

Den Bedürfnissen der allgemeinen Öffentlich-keit kommt die „Botanikschule" entgegen, die sich vornehmlich der Schulklassen aus Greifs-wald und Umgebung annimmt. Regelmäßige öffentliche Führungen und Ausstellungen – zur Blüte der „Königin der Nacht" wird das Kak-teenhaus abends geöffnet – runden das Ange-bot ab. Sie sollen zu mehr Wissen um und Ver-ständnis für die Pflanzenwelt beitragen – frei nach dem Motto, nur was ich kenne, kann ich auch schützen, pflegen und wertschätzen.

*The Botanical Garden*

*The Botanical Garden was founded in 1763, reloca-ted in 1886 and enlarged by the addition of a collec-tion of ligneous plants from 1934. Today, it consists of two parts – the greenhouse complex with an out-door section in Münsterstraße, and the arboretum in Jahnstraße. Apart from scientific research and tea-ching, for which several thousand plants are cultiva-ted on a total area of 10 hectares, the Garden organi-ses public events.*

# Die Geologische Landessammlung der Fachrichtung Geowissenschaften

Im Besitz des Geologisch-Paläontologischen und des Mineralogischen Instituts befinden sich insgesamt 14 bedeutende Sammlungen, die eng mit der über 100jährigen Tradition geowissenschaftlicher Lehre und Forschung an der Ernst-Moritz-Arndt-Universität verbunden sind. Insbesondere die historisch angelegte Geologische Landessammlung von Vorpommern findet bei Laien und Fachleuten ein gleichermaßen großes Interesse. Ihr Grundstock wurde um die Jahrhundertwende durch die Sammeltätigkeit Prof. Wilhelm Deeckes, dem „Vater der Geologie

Pommerns", gelegt. 1908 öffnete sein Nachfolger, Prof. Otto Jaekel, die Sammlung mit einer Exposition für das allgemeine Publikum.

Das zusammengetragene Material stammt vorwiegend aus Vor- und Hinterpommern. Zum großen Teil sind es pleistozäne Geschiebematerialien sowie Gesteinsproben und Fossilien der anstehenden Schreibkreide von Rügen.

Durch stete Bemühungen der Angehörigen der Institute und interessierter Laien wurde die Sammlung ständig erweitert. Aus dem präquar-

*60. Geologische Landessammlung im Geologisch-Paläontologischen Institut (Friedrich-Ludwig-Jahn-Straße 17 a)*

85

*61. Karbonatkonkretion aus dem Lias-Ton (Unterer Jura) bei Grimmen mit Ammoniten*

tären Untergrund Vorpommerns gewonnenes Bohrkernmaterial belegt heute die angetroffene Schichtenfolge bis in Tiefen von mehreren 1 000 m.

Bereichert wird die Kollektion durch ein Gemälde Prof. Jaekels mit dem Titel „Hiddensee Oie, Blick auf Rügen" aus dem Jahre 1908, das anläßlich der Eröffnung der Sammlung fertiggestellt wurde, und ein geologisch-morphologisches Relief von Pommern im Maßstab 1:200 000, welches Prof. Serge von Bubnoff erstellte. Eine Karte des Nordostens Deutschlands von Dr. Ekkehard Herrig aus dem Jahre 1974 im Maßstab 1 : 100 000 vermittelt einen Überblick über die vor allem durch das Pleistozän geprägte geologische Ausbildung dieses Raumes. Mehrere großdimensionale Lackprofile demonstrieren eindrucksvoll spezifische lithologische und Gefüge-Merkmale aus Jura, Kreide und Quartär.

Inhaltlich ist die Geologische Landessammlung in folgende Komplexe gegliedert: Diluvialgeschiebe aus dem Ostseeraum und Skandinavien, präpleistozäne Gesteine und Fossilien aus dem Anstehenden und tieferen Untergrund, vor allem aus der Schreibkreide Rügens, pleistozä-

ne und holozäne Sedimente und Fossilien sowie nutzbare Gesteine und Rohstoffe Norddeutschlands.

Die Geologische Landessammlung verfügt über einen musealen Schauteil auf 120 qm Ausstellungsfläche.

Besonders beachtenswert ist auch die „Meteoritensammlung". Prof. Emil Cohen, der von 1884 bis 1905 Ordinarius für Mineralogie und Geologie an der Greifswalder Universität und zu seiner Zeit der bekannteste deutsche Meteoritenforscher war, hatte zum großen Teil aus eigenen Mitteln eine Sammlung aufgebaut, die mit ihren ca. 550 Einzelstücken aus ca. 400 Meteoritenfällen und -funden noch heute den Grundstock der Bestände bildet.

***State Geological Collection of the Earth Sciences branch of study***

*The Geological-Palaeontological and Mineralogical Departments possess a total of 14 important collections. The historically arranged "State Geological Collection" of West Pomerania provokes great interest among lay people and experts. Its basis was laid at the turn of this century by Prof. Wilhelm Deeke. The materials collected come chiefly from West and East Pomerania. For the most part they are Pleistocene glacial drift materials and rock specimens and fossils from Rügen chalk outcrops.*

*The contents of the "State Geological Collection" are arranged in the following sections: glacial drift material in the Baltic and Scandinavian regions; pre-Pleistocene rocks and fossils from outcrops and the deeper substratum, above all from the Rügen chalk; Pleistocene and Holocene sediments and fossils; and, finally, utilizable rocks and raw materials in Northern Germany.*

# Historische Kartensammlung des Instituts für Geographie

Mit der Errichtung des „Geographischen Apparates" 1881 wurde der systematische Erwerb von Karten begonnen. Durch Ankauf über Antiquariate, die Übernahme von kartographischem Material der Universitäten in Jena und Rostock sowie durch Schenkung von Ordinarien aus dem In- und Ausland konnte die historische Sammlung ständig erweitert werden. Sie enthält heute Dokumente über alle Teile der Erde, wobei das Schwergewicht auf dem europäischen Raum liegt.

Gegenwärtig umfassen die Bestände 63 Atlanten und ca. 3 000 Karten, die zwischen 1552 und 1850 gefertigt wurden. Darunter befinden sich 85 gedruckte Karten von Pommern, die 1957 im Leipziger Antiquariat erworben werden konnten. Diese zeichnen sich durch kunstvoll gearbeitete Verzierungen und eine Fülle figürlicher Details aus. Geographisch aussagekräftige wie auch dekorative Meisterwerke kartographischer Kunst stellen die zwölfblättrige Pommernkarte von Eilhard Lubin aus dem Jahre 1618, angefertigt im Auftrag des Pommernherzogs Philipp II., sowie die sechsblättrige Pommernkarte von Matthäus Seutter von 1764 dar. Besonders wertvoll sind 140 handgezeichnete Gemarkungskarten der schwedischen Landesaufnahme von 1692 - 98 und 109 Flurkarten des ehemaligen Universitätsbesitzes, die wegen ihres großen Maßstabes jede geographische Einzelheit zweckentsprechend darstellen und deshalb immer wieder bei Untersuchungen ausgewertet werden.

Durch sehr realistische Darstellungen in der Ausgestaltung zeichnen sich 48 Mitte des 18. Jahrhunderts entstandene Karten aus dem sächsischen Atlas des Niederländers Pieter Schenk aus. Der damals traditionellen Auffassung folgend, enthalten diese Blätter kaum neue geographische Informationen. Dafür ändert sich der Charakter der Schmuckelemente entsprechend dem jeweils vorherrschenden Kunststil und löst in diesem Fall die vom Barock beeinflußten Verzierungen durch detailgetreue Abbildung von Landschaften, Produktionsstätten und arbeitenden Personen ab.

Unter den Atlanten befinden sich einer der ältesten Schulatlanten (1753) sowie mehrere Bände von Johann Baptist Homann und seinen Erben, die mit ihren barocken Kartuschen und Verzierungen sehr dekorative Werke darstellen. Der Frankreichatlas (1750 - 1815) von Cassini mit 184 Blättern in 2 Bänden verzichtet dagegen auf jeglichen Schmuck, imponiert dafür aber durch seine Größe von 97 x 65 cm und durch die exakte Wiedergabe des Landes.

Historische Kartenwerke über Amerika, Afrika, Ozeanien, Australien und die Polargebiete eignen sich besonders zum Nachvollziehen der Entdeckungsgeschichte dieser Regionen.

### Historical Map Collection of the Geography Department

*The systematic acquisition of maps began with the setting up of the "Geographical Apparatus" in 1881.*

*At present, the historical collection comprises 63 atlases and about 3,000 maps dating from 1552 to 1850. Among them are 85 printed maps of Pomerania. The twelve-sheet map of Pomerania by E. Lubin (1618), produced by order of Philipp II, duke of Pomerania, and the six-sheet map of Pomerania by M. Seuttert (1764) represent masterpieces of cartographic art which are both geographically significant and decorative.*

*Of special value are 140 hand-drawn boundary maps from the Swedish land survey of 1692 - 98.*

87

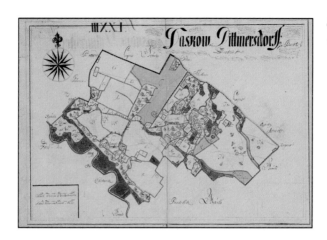

*62. Schwedische Matrikelkarte von Daskow und Dittmersdorf, 1696*

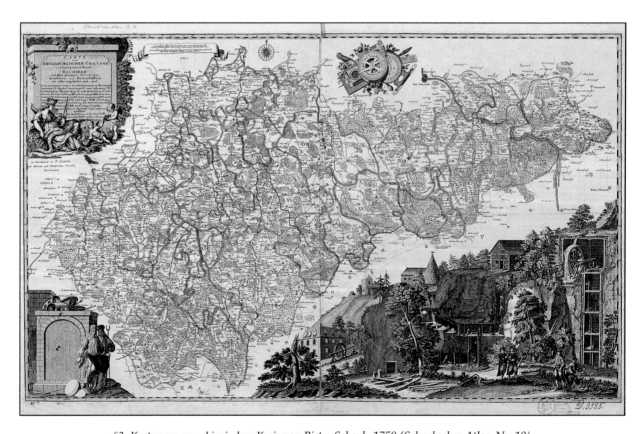

*63. Karte vom erzgebirgischen Kreis von Pieter Schenk, 1750 (Schenkscher Atlas, Nr. 19)*

# Sammlung des Victor-Schultze-Instituts für Christliche Archäologie und Geschichte der kirchlichen Kunst

Das Institut für Christliche Archäologie und Geschichte der kirchlichen Kunst wurde 1951 nach seinem Gründer benannt: Victor Schultze hatte 1884 begonnen, eine „kirchlich-archäologische Sammlung" aufzubauen. Schon am Anfang standen vielfältige Interessen. Die Christliche Archäologie hatte neue Impulse durch das Entdecken und Erschließen von Denkmälern und durch eine neue wissenschaftliche Methodik erfahren, wobei Schultze sich besonders durch die Erforschung sizilianischer Katakomben verdient machte. Neben der Vermittlung derartiger Kenntnisse ging es darum, Theolo-

giestudenten eine kunsthistorische Bildung zu vermitteln, die damals vor allem das Mittelalter und die italienische Kunst des Quattrocento zum Inhalt hatte. Und schließlich sollten die künftigen Pastoren auf eine Tätigkeit vorbereitet werden, bei der sie in mannigfacher Weise mit Kunstwerken zu arbeiten und diese zu verwalten hatten.

Nicht alle diese Zielstellungen konnten in gleicher Weise in der „kirchlich-archäologischen Sammlung" anschaulich gemacht werden. Doch war das Spektrum erstaunlich breit. Abdrücke von Kirchensiegeln als Gegenstand künstlerischer Gestaltung wurden ebenso gesammelt wie antike Münzen. Spätantike Lampen, Ampullen, Stoffe wie auch jüngere liturgische Gewänder konnten als Demonstrationsstücke erworben werden, allerdings nur in geringer Anzahl. Victor Schultze gelang es, vor allem aus dem Depotbesitz der Berliner Museen mittelalterliche Plastiken zu übernehmen. Zudem wurde der Fundus durch Stücke vermehrt, die in Kirchengemeinden als alt und schadhaft beiseitegestellt waren.

64. Anna Selbdritt aus Mützenow/Hinterpommern, um 1520

### Collection of the Victor Schulze Institute of Christian Archaeology and History of Ecclesiastical Art

*Victor Schulze founded a "Church Archaelogy Collection" in 1884. One of its aims was to provide theology students with training in the history of art, especially the Middle Ages and the Italian art of the quattrocento. Impressions of church seals were collected as examples of artistic design, alongside ancient coins. Only a few late-classical lamps and fabrics and more recent liturgical vestments could be acquired as demonstration exhibits. However, Victor Schulze succeeded in obtaining mediaeval sculptures from the deposits of the Berlin museums for the Collection.*

*65. Elfenbeinrelief mit der Darstellung der Geburt Christi*
*französisch, Mitte 14. Jahrhundert*

90

# Sammlungen zur Biblischen Landes- und Altertumskunde des Gustaf-Dalman-Instituts

Die Sammlungen zur Biblischen Landes- und Altertumskunde wurden von Gustaf Dalman (1855 - 1941) im Zusammenhang mit seinen Forschungsarbeiten in Jerusalem aufgebaut, wo er von 1902 - 1914 als erster Direktor des „Deutschen Evangelischen Instituts für Altertumswissenschaft des Heiligen Landes" wirkte.

1917 wurde Dalman auf ein alttestamentliches Extraordinariat nach Greifswald berufen. Hier war er bis 1938, weit über seine Emeritierung hinaus, tätig. Schon bald nach seiner Berufung richtete er auch in der Ostseestadt ein Institut für Palästinawissenschaft ein und konnte dafür einen Teil der Bestände aus Jerusalem nach Deutschland holen. Die Beschäftigung mit dem Land der Bibel, mit seiner Geschichte und Kultur sowie dem Leben seiner Bewohner war für ihn ein unverzichtbarer Bestandteil des Theologiestudiums. Das spiegeln die Kollektionen in ihrer Vielfältigkeit wieder.

Das Institut besitzt eine archäologische Sammlung von Kleinkeramik und antiken Scherben sowie Originalkopien palästinischer Inschriften (als wichtigste ist hier die Siloah-Inschrift aus der Zeit um 700 v. Chr. zu nennen). Weiterhin betreut es eine Gesteinssammlung (über 200 Nummern), die einen Überblick über nahezu alle geologischen Formationen Palästinas gibt, eine Sammlung von Hölzern (über 300 Arten) und Früchten sowie ein Herbarium mit mehr als 1 000 Nummern. Hinzu kommen Agrarprodukte, wie sie bei der Getreideverarbeitung auf der Tenne und beim Mahlen entstehen. Das Leben der Bewohner Palästinas vor dem 1. Weltkrieg veranschaulichen Gebrauchsgegenstände aus dem bäuerlichen und dem Hirtenmilieu, Musikinstrumente und Modelle (z. B. von Webstühlen).

Von besonderer Bedeutung ist der Bestand von ca. 15 000 Fotografien, die Palästina in der Zeit vor dem 1. Weltkrieg zeigen und zahlreiche Informationen zur Volkskunde liefern. Darunter befinden sich auch ca. 1 400 Luftaufnahmen. Die Sammlungen werden ergänzt durch eine wissenschaftliche Spezialbibliothek mit ca. 4 000 Bänden und umfassendem Kartenmaterial (ca. 400), durch Reisebeschreibungen und wissenschaftliche Literatur zur Landeskunde, Volkskunde, Geschichte, Geographie und Archäologie Palästinas sowie durch eine separate Abteilung für jüdisches Schrifttum.

66. Erntekamm aus Weizen mit gezähnter Zweigsichel (rechts) und Winzermesser

91

67. Tamburine und Doppelschalmei

## Biblical Area and Classical Studies Collections of the Gustaf Dalman Institute

*These Biblical Area and Classical Studies Collections were set up by Gustaf Dalmann (1855 - 1941) in connection with his research work in Jerusalem where he worked as the first director of the "German Protestant Institute of Classical Studies in the Holy Land" from 1902 to 1914. In 1917 Dalman was appointed associate professor in Old Testament studies at Greifswald. Shortly after his appointment he set up a Department of Palestinian Studies and succeeded in transferring part of the exhibits from Jerusalem to Greifswald. The Institute has a collection of small pottery and classical potsherds and original Palestinian inscriptions (the most important being the Siloah inscription dating from about 700 BC). It also has a stone collection, a collection of woods and fruits, and a herbarium. A further group of exhibits are agricultural products created by processing grain on the threshing floor and grinding it into flour.*

*Of special importance are the roughly 15,000 photographs showing Palestine in the period before the First World War, which are a rich source of ethnological information. The Collections are supplemented by a specialist scholarly library with about 4,000 volumes and a large number of maps, by books of travels, scholarly literature on area studies, and the folklore, history, geography and archaeology of Palestine, and by a separate section on Jewish literature.*

92

# Archäologische Studiensammlung des Instituts für Altertumswissenschaften

Otto Jahn legte 1843 den Grundstock zu einer Sammlung von Gipsabgüssen nach antiken Originalen, die den Studierenden der Klassischen Archäologie anstelle originaler Skulpturen als Anschauungsmaterial dienen sollte. 1852 wurde die „Akademische Kunstsammlung" offiziell ins Leben gerufen, die sich in den folgenden Jahrzehnten durch zahlreiche Neuerwerbungen stetig vergrößerte. 1893 gelangten unter dem Direktor August Preuner erstmals antike Originale in das Institut, und zwar einige griechische Scherben aus Mykene und Athen, die der junge Greifswalder Archäologe Erich Pernice von seinen Reisen mitgebracht hatte. Bereits ein Jahr später wurde ca. ein Dutzend gut erhaltener griechischer Vasen angekauft, 1897 die Originalsammlung mit über 300 Gefäßfragmenten erweitert, die Paul Hartwig, ein in Rom lebender Archäologe aus Pirna, zusammengetragen hatte.

1903 übernahm Pernice die Leitung der „Akademischen Kunstsammlung", die er umstellen ließ und erstmals öffentlich zugänglich machte. In der Anfangszeit seiner Tätigkeit kaufte er noch antike Originale sowie Abgüsse an, mußte den Zuwachs an Skulpturen aber schon bald wegen Platzmangels einstellen. In den zwanziger Jahren wurde dem Archäologischen Seminar ein Münzkabinett unterstellt, das eine heute verschollene Sammlung antiker Münzen umfaßte. Ab 1929 waren die Gipse provisorisch in einer Eisenbahnerwerkstätte aufgestellt, wo sie in den folgenden Jahren langsam verrotteten; Ende der 50er Jahre wurden sie endgültig vernichtet. Die Sammlung der originalen Antiken überdauerte glücklicherweise die Kriegszeit: 1945 wurde sie ausgelagert, dann in der Universität Göttingen aufbewahrt. Erwin Bielefeld, der von 1951 - 1958 die Klassische Archäologie in Greifswald leitete, gelang es, ei-

nige Antiken von den Nachfahren Pernices zu erwerben und so einen bescheidenen Neuanfang zu machen. 1989 wurde die Sammlung von Göttingen an die Ernst-Moritz-Arndt-Universität zurückgegeben, wo sie, zusammen mit den Ankäufen der Nachkriegszeit, in dem 1995 neu gegründeten Institut für Altertumswissenschaften wieder aufgestellt werden konnte.

Die Archäologische Studiensammlung umfaßt im wesentlichen originale Gefäße und Gefäßfragmente griechischer und römischer Zeit: Sie wur-

*68. Sog. Pferdekopfamphore, Ägina, um 550 v. Chr.*

93

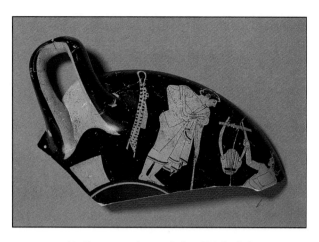

69. Fragment einer attischen Trinkschale

de in Hinblick auf die Lehre so angelegt, daß alle Epochen der antiken Kunstgeschichte vertreten sind, wobei die griechische Keramik des 6. und 5. Jahrhunderts v. Chr. den Schwerpunkt bildet.

Den Beginn machen bemalte Vasenfragmente aus Dimini, dem wohl bedeutendsten griechischen Fundort neolithischer Zeit, sowie einige Scherben der gleichen Epoche aus Kreta und Troja, gefolgt von einer stattlichen Anzahl mykenischer Gefäße. Aus der sog. geometrischen Epoche des 10. - 8. Jahrhunderts v. Chr. stammen Kantharoi (Trinkbecher), eine Pyxis (Deckelbüchse) und figürlich bemalte Fragmente von großen Grabgefäßen aus Athen, dem bedeutendsten Kunstzentrum jener Zeit. Den Werkstätten Korinths, die im 7. Jahrhundert v. Chr. führend waren, sind mit Tierfriesen dekorierte kleine Gefäße, die überwiegend der Aufbewahrung von Kosmetik dienten, zuzuschreiben. Von den Erzeugnissen ostgriechischer, auf den Inseln beheimateter Töpfereien sind insbesondere Tellerfragmente erhalten.

Amphoren und andere Weingefäße sowie eine große Bandbreite unterschiedlicher Trinkschalen und -becher, die im schwarzfigurigen Stil (schwarze Figuren auf tonrotem Hintergrund) mit mythologischen Darstellungen oder Alltagsszenen verziert sind, repräsentieren das Angebot attischer Werkstätten des 6. Jahrhunderts v. Chr. Im sich ab 530 v. Chr. allmählich durchsetzenden rotfigurigen Stil (rote Figuren auf schwarzem Hintergrund) sind kunstfertig getöpferte, dünnwandige Trinkschalen bemalt, deren Außenseiten häufig Szenen aus der Welt der Bürger wiedergeben. Gefäßfragmente aus Etrurien, die griechische Formen imitieren, sowie Schalen aus Unteritalien, die den rotfigurigen Stil im 4. Jahrhundert v. Chr. weiterführen, runden das Bild der griechischen Keramik ab. Das glänzend rote, mit Formen serienmäßig hergestellte Geschirr römischer Zeit, die sog. Terra Sigillata, ist in der Sammlung durch qualitätvolle Scherben aus der bedeutenden Werkstatt in Arrezzo vertreten. Terrakottafigürchen, Tonlampen sowie einige Bronzeobjekte und ein aus Abusir el Meleq stammendes Mumienbildnis bereichern die eindrucksvolle Vasensammlung.

### Archaeological Study Collection of the Department of Classical Studies

*The Archaeological Study Collection consists mainly of original vessels and potsherds of the Greek and Roman period. They were assembled with teaching in mind so that all epochs of classical art history are covered, though the main emphasis is on Greek pottery of the 6th and 7th centuries BC.*

*The Collection begins with painted vase fragments from Dimini and a few neolithic potsherds from Crete and Troy, followed by a considerable number of Mycenaean vessels. From the so-called geometrical epoch of the 10th to 8th centuries BC there are kantharoi (drinking vessels), a pyxis (lidded box) and fragments painted with figures from large funerary urns from Athens. The workshops of Corinth, which in the 7th century BC were pre-eminent, are represented by small vessels decorated with animal friezes and used mainly for storing cosmetics. Amphorae and a wide range of drinking bowls and cups in black-figure style represent the production of Attic workshops of the 6th century BC. Thin-sided drinking bowls, made with great artistry and painted in the red-figure style which gradually began to predominate from 530 BC, frequently have scenes reflecting city life on their exteriors. Fragments of vessels from Etruria, which imitate Greek forms, and bowls from lower Italy, which continue the red-figure style in the 4th century BC, round off the picture of Greek pottery.*

94

# Die Sammlung vorgeschichtlicher Altertümer am Institut für Vor- und Frühgeschichte

Bodenfunde aus allen Abschnitten der Vor- und Frühgeschichte Vorpommerns gehören zum Bestand der Sammlung vorgeschichtlicher Altertümer. Sie reichen von den Hinterlassenschaften späteiszeitlicher Jäger über wichtige Grabfunde aus der Eisenzeit bis zu den vielgestaltigen Zeugnissen des mittelalterlichen Stadtlebens in Greifswald.

Die Anfänge der Kollektion gehen auf das Jahr 1823 zurück, in dem die „Sammlung vaterländischer Altertümer" begründet wurde. In den folgenden Jahren wurden schon erste bedeutendere Grabungen, u.a. in der Klosterruine von Eldena, durchgeführt. Eine Erweiterung und erste wissenschaftliche Bearbeitung erfuhren die Bestände durch den Professor für pommersche Geschichte, Theodor Pyl, der ab 1865 mit der Führung der Sammlung beauftragt war. Mit Erich Pernice übernahm 1903 ein klassischer Archäologe die Aufsicht. In den zwanziger Jahren holte er Wilhelm Petzsch an die Universität, der ab 1929 mit der Leitung der nun umbenannten „Sammlung vorgeschichtlicher Altertümer" betraut und 1935 zum außerordentlichen Professor ernannt wurde. Er führte zahlreiche Grabungen im vorpommerschen Raum durch. Nach dem frühen Tod von Petzsch im Jahre 1938 übernahm aufgrund politischer Einflußnahme Professor Carl Engel die Leitung der Sammlung und des 1940 begründeten Instituts für Vor- und Frühgeschichte. In seiner Funktion als Rektor der Universität hatte Engel im April 1945 einen maßgeblichen Anteil an der kampflosen Übergabe der Stadt an die Rote Armee; dennoch wurde er interniert und verstarb 1947. Wertvolle Teile der Sammlung waren 1944 ausgelagert worden und sind in den Wirren der frühen Nachkriegszeit verschollen. Vor wenigen Jahren konnten einige dieser Objekte in einer Schule wiederentdeckt werden,

70. Funde aus dem „Herzogsgrab", einem jungsteinzeitlichen Großsteingrab im Forst Mönchgut, Rügen, ca. 3000 v. Chr.

und von der Universität Kiel kehrte eine Reihe von damals gesicherten Funden zurück. In der Zeit seit dem Zweiten Weltkrieg wurde die Sammlung vor allem durch Hermanfrid Schubart und ab 1958 durch Ingeburg Nilius wissenschaftlich betreut, die den Bestand durch Grabungen erheblich vergrößerte. Wesentliche Bedeutung für Vorpommern haben ihre Untersuchungen zur Jungsteinzeit in Gristow sowie an einem Großsteingrab im Forst Mönchgut auf Rügen. Gleiches gilt für die Ausgrabung eines Gräberfeldes der früheren Eisenzeit bei Wusterhusen.

Zudem gab es Grabungen zur römischen Kaiserzeit im Greifswalder Ostseeviertel und in Wackerow. Seit den achtziger Jahre rückte mit der Bautätigkeit in der Altstadt verstärkt die Stadtkernforschung in den Mittelpunkt des Interesses. Unter der Leitung von Günter Mangelsdorf wurden seit 1984 zahlreiche Baugruben auf mittelalterliche Spuren hin untersucht und große Mengen an Funden geborgen.

95

71. Fibel vom slawisch-wikingischen Handelsplatz Menzlin, um 900 n. Chr.

Nach der deutschen Vereinigung wurde ein eigenständiges Institut für Vor- und Frühgeschichte wiederbegründet und Professor Mangelsdorf zum Leiter berufen. Die Sammlung des Institutes umfaßt heute einige tausend Objekte. Der für die Steinzeit namengebende Rohstoff ist u. a. durch über 600 Feuersteinbeile und -meißel sowie ca. 120 Feuersteindolche und -sicheln vertreten, die zusammen mit den Resten keramischer Gefäße und Bernsteinschmuck aus Großsteingräbern von einer Besiedelung des vorpommerschen Raums in der Jungsteinzeit (ca. 4 000 - 2 000 v. Chr.) zeugen. Aus der Bronze- und Eisenzeit gehören neben zahlreichen keramischen Gefäßen, überwiegend Urnen, auch 7 Schwerter und mehr als 20 metallene Lanzen- und Pfeilspitzen zum Bestand. Eine weitere Gruppe von Metallobjekten dieser Zeit bilden Trachtbestandteile mit etwa 70 Gewandnadeln

(sogenannte Fibeln), mehrere Gürtelhaken und -schnallen sowie Schmuck, darunter zwei wertvolle kleine Goldspiralen aus einem Hügelgrab bei Thurow. Die slawische Zeit ist durch verschiedene Keramikreste und Metallfunde aus Siedlungen und befestigten Plätzen vertreten. Zu den schönsten Objekten der Sammlung zählt eine Fibel von dem bedeutenden slawisch-wikingischen Handelsplatz Menzlin, die mit einer Gesichtsmaske verziert ist.

Die Funde des Mittelalters bestehen aus einer großen Zahl von Dingen des städtischen Alltagslebens wie Lederreste, Holzobjekte und vor allem Scherben von Keramikgefäßen.

Ein Metallgefäß, die Reste eines Signalhorns, das von der Reise eines Pilgers nach Aachen zeugt, bemalte Glasfragmente und verschiedene Münzen stellen weitere bedeutende Stücke der Greifswalder Sammlung dar.

96

72. Mittelalterliche Funde aus Greifswald

## Collection of Prehistorical Antiquities of the Department of Prehistory and Early History

The Collection of Prehistorical Antiquities includes archaeological finds from all phases of the prehistory and early history of Pomerania. They range from the legacy of late Ice-Age hunters through important burial finds from the Iron Age to multifarious testimonies of mediaeval town life in Greifswald.

The beginnings of the Collection can be traced back to the year 1823, in which the "Collection of National Antiquities" was inaugurated. Today, it comprises several thousand objects. The raw material whose use characterizes the Stone Age is represented, among other things, by over 600 flint axes and chisels and about 120 flint daggers and sickles.

From the Bronze and Iron Ages there are numerous pottery vessels (mainly urns), 7 swords, and more than 20 metal lances and arrowheads. Another group of metal objects from this period comprises costume accessories with about 70 clothes pins, a number of belt hooks and buckles, and jewellry. The Slavic period is represented by various pottery relics and metal finds from settlements and fortified places. One of the most beautiful objects is a primer decorated with a face mask from the important Slavic-Viking trading centre of Menzlin. The mediaeval finds consist of a large number of objects reflecting everyday urban life.

97

# Die Grafische Sammlung des Caspar-David-Friedrich-Instituts für Kunstwissenschaften

1928 begann der Gymnasial- und Akademische Zeichenlehrer Adolf Kreutzfeldt mit dem Aufbau der Grafischen Sammlung. Sie sollte den Teilnehmern an seinem Zeichenunterricht und den Studenten der Kunstgeschichte die Begegnung mit Originalen zeitgenössischer deutscher Künstler ermöglichen. 1932 zählten zum Bestand 30 Werke. Von 1935 bis 1944 betreute der

73. Käthe Kollwitz (1867 - 1945):
Mutter mit Kind auf dem Arm, 1910;
Radierung und Schmirgel-Druckverfahren, 19,5 x 13,1 cm

Universitätszeichenlehrer Paul Barz die Grafische Sammlung. Bis 1937 hatte er 66 Blätter in ihr vereinigt. 14 – u. a. von Ernst Barlach, Karl Hofer, Otto Dix und Emil Nolde – zog die Reichskunstkammer im gleichen Jahr als „entartet" ein.

1945 faßte Kreutzfeldt den erhaltenen Bestand zusammen und übergab ihn 1946 an den Fachbereich Kunsterziehung, der an der Pädagogischen Fakultät eingerichtet worden war. Das Institut für Kunsterziehung, das 1946/47 entstand, arbeitete unter Leitung von Professor Herbert Schmidt-Walter in den Räumen des Akademischen Zeichensaales auch mit der Grafik-Sammlung. Die Institutsdirektoren Prof. Herbert Wegehaupt, Prof. Dr. habil. Günther Regel, Prof. Konrad Homberg, Dr. Dieter Schwieger und Prof. Dagmar Lißke erreichten über Schenkungen der Gastprofessoren Fritz Cremer, Gabriele Mucchi u. a., über Ankäufe und Nachlaßübereignungen, über die Gründung der Kleinen Galerie, Gastgeschenke polnischer Grafiker und durch Grafik-Workshops junger Künstler, daß die Sammlung bis 1994 auf über 500 originale Blätter anwuchs.

Seit den 50er Jahren besitzt das Caspar-David-Friedrich-Institut aufgrund einer Schenkung eine Plakatsammlung. Sie umfaßt 100 großformatige Werke, die vorwiegend in der Zeit von 1906 bis 1914 entstanden sind. Den Hauptteil bilden Werbeplakate aus München, dem damaligen Zentrum des Künstlerplakats in Deutschland.

Das Veranstaltungsplakat „Wolkenkukuksheim" von Max Unold (1885 - 1963) vermittelt seine Botschaft mit einem ungewöhnlichen Titel und Bildmotiv. Die flächig und vereinfacht dargestellten Tierformen stehen über dem Textblock. Der Plakatgrund, der große Bild- und der klar abgegrenzte Schriftteil werden von ei-

98

74. Max Unold (1885 - 1963): Wolkenkukuksheim, um 1908; Farblithografie, Plakat, 59 x 44,5 cm

99

nem Rahmen zusammengefaßt. Die riesigen bewegten Flächenformen der Pelikane in der Untersicht stehen im Kontrast zu den frontal und blockhaft gesetzten Buchstaben. Auch die Farben Rosa und Türkis bilden einen Gegensatz, der wie die anderen Kontraste im Plakat Spannung schafft, die die Aufmerksamkeit des Betrachters erregt.

*temporary German artists. By 1932 there were 32 items in the Collection and by 1994 over 500 originals. As the result of a presentation the Caspar David Friedrich Institute has also been in possession of a poster collection since the 1950s, the main part of which consists of advertizing posters from Munich, then the centre of poster art.*

*The Graphic Arts Collection of the Caspar David Friedrich Institute of Art*

*The grammar-school and Academic art teacher Adolf Kreutzfeldt began to build up the Graphic Arts Collection. It was intended to enable those taking part in his drawing lessons and also students of art history to experience original works by con-*

100

# Anhang
## Anmerkungen

1 Heinrich Borris (Hrsg.): Lehre und Forschung an der Ernst-Moritz-Arndt-Universität Greifswald, Greifswald 1959, S. 43

2 Vgl. Konrad Fritze: Pommernforschung am Historischen Institut der Universität Greifswald. In: Pommern - Geschichte, Kultur, Wissenschaft, Greifswald 1991

3 Hier sind zu nennen: „Botanische Sammlung der Universität Greifswald" (1983). „Luther, Bugenhagen und die Reformation im Herzogtum Pommern" (1983/84). „Bodenfunde des Bereiches Vor- und Frühgeschichte" (1984). „Zimmerpflanzen, wo und wie" (Botanischer Garten - 1984). „Bugenhagen und die Reformation im Herzogtum Pommern" (1985). „Anatomische Sammlung der Universität Greifswald" (1986). „Insekten aus dem Zoologischen Museum der Sektion Biologie der Universität Greifswald" (1988). „500 Jahre finnisches Buch. Schätze aus der Universitätsbibliothek der Universität Greifswald" (1988). „Vom Abakus zum Computer. Rechenmaschinen aus zwei Jahrhunderten der Sammlung des Fachbereichs Mathematik" (1990). „Pommern in Landkarten aus fünf Jahrhunderten" (1991). „Grafik aus der Sammlung des CDF-Instituts für Kunstwissenschaften" (1993). „Greifswalder Antiken – Erich Pernice zum Gedächtnis" (1995/96) statt.

4 Victor Schultze: Die Kunstdenkmäler der Königlichen Universität Greifswald, Greifswald 1896, S. 6

5 Vgl. Ivar Seth: Die Universität Greifswald und ihre geschichtliche Stellung in der schwedischen Kulturpolitik 1637 - 1815, Berlin 1956

6 Vgl. Bernfried Lichtnau: Architekturbezogene Kunst in Greifswald 1945 - 1985. Neue Greifswalder Museumshefte 13/86

7 Johann Gottfried Kosegarten berichtet noch 1856, daß sich die Universität an das Vermächtnis des Herzogs Ernst Bogislaw von Croy hält und die „goldene Kette" nur zu den Croy-Feiern getragen wurde. Vgl. ders.: Geschichte der Universität Greifswald, 2. Teil, Greifswald 1856, S. 146

8 Vgl. Adolf Hofmeister: Die geschichtliche Stellung der Universität Greifswald. Greifswalder Universitätsreden 32, Greifswald 1932, S. 14 ff.

9 J. G. L. Kosegarten: A. a. O., 1. Teil, Greifswald 1857, S. 64 und 111; Walter Paatz: Sceptrum Universitatis. Heidelberger Kunstgeschichtliche Abhandlungen, NF, Bd. 2, Heidelberg 1953, S. 15 f., 19 f., 24 ff., 29 f., 35 ff., 41, 62 ff., 75, 103 ff.; Joseph Weiß: Das Akademische Deutschland, Bd. I, Berlin 1930, S. 715

10 W. Paatz A. a. O., S. 74 und 104

11 Victor Schultze: Geschichts- und Kunstdenkmäler der Universität Greifswald, Greifswald 1906, S. 31

12 W. Paatz: A. o. O., S. 12

13 V. Schultze: A. a. O., 1906, S. 33

14 Ders.: A. a. O., 1896, S. 20

15 Ebenda

16 J. G. L. Kosegarten: A. a. O., 1856, S. 146

17  Ebenda, S. 145

18  So u. a.: 1956 zur 500-Jahrfeier und 1981 zur 525-Jahrfeier der Ernst-Moritz-Arndt-Universität in Greifswald. Zudem 1983, zum 500. Geburtstag Martin Luthers, und in Zusammenhang mit politschen Ereignissen und Staatsbesuchen. Die letzte öffentliche Präsentation des Gobelins fand im Güstrower Schloß vom 23. Juni bis 15. Oktober 1995 statt. Vgl. auch Katalog zur Landesausstellung „1000 Jahre Mecklenburg. Geschichte und Kunst einer europäischen Region", Rostock 1995, S. 266f.

19  In dem Wolgaster Inventar wird ein Wandteppich mit dem Titel „Die Tauffe Christi mit den Sechsischen und Pommerischen Herrn auch der gelarten Konterfey" aufgeführt. Vgl. Hellmut Hannes: Der Croyteppich – Entstehung, Geschichte und Sinngehalt. In: Baltische Studien, NF, Bd. 70, Marburg 1984, S. 69

20  Norbert Buske: Wappen, Farben, Hymnen des Landes Mecklenburg-Vorpommern, Bremen 1993, S. 59 und 82f.

21  Vgl. Nikolaus Zaske: Der Greifswalder Croy-Teppich. Cranachs Beitrag zur Entwicklung des monumentalen Historien- und Gruppenbildes. In: Lucas Cranach, Künstler und Gesellschaft, Wittenberg 1973, S. 107 ff.

22  Walter Borchers: Pommersche Geschichte im Spiegel gewirkter Wandbehänge. In: Zeitschrift für Ostforschung, 1953, S. 183

23  Alb. Uni. III 191 v. und Rechnungsbuch der Universität Greifswald 1737/ 1738 (Universitätsarchiv Greifswald)

24  Dorette Grumbt: Die Porträtsammlung der Universität Jena. In: Reichtümer und Raritäten. Jenaer Reden und Schriften, 1974
    Ingeborg Schnack: Beiträge zur Geschichte des Gelehrtenporträts. Historische Bilderkunde 3, Hamburg 1935
    Christian Rauch: Die Gießener Professoren-Galerie. In: Gießener Hochschulblätter. 5. Jg.,
    Nr. 2, 1957
    Barbara Oehme: Jenaer Professoren im Bildnis, Merseburg 1983

25  Otto Schmitt und Victor Schultze: Wilhelm Titels Bildnisse Greifswalder Professoren, Greifswald 1931, S. 27

26  Vgl. Christine Rütenik: Wilhelm Titel. Leben und Werk, Greifswald 1973 (Dipl. Arbeit)
    Ursula Meyer: Ein italienisches Skizzenbuch Wilhelm Titels im Besitz des Museums der Stadt Greifswald. In: Greifswald-Stralsunder Jahrbuch, Bd. 3, Schwerin 1963
    Ursula Rhode: Studien über einen pommerschen Maler aus der ersten Hälfte des 19. Jahrhunderts. In: Hamburger mittel- und ostdeutsche Forschungen, Bd. IV, Hamburg 1963

27  Zu den Bildnissen gehören: Philipp I., Doppelporträt von Philipp Julius und Bogislaw XIV., sieben pommersche Prinzessinnen, Anna von Croy, Ernst Bogislaw von Croy, Adolf Friedrich VI. von Mecklenburg Strelitz, Gustav III., Friedrich Wilhelm III. und Friedrich Wilhelm IV., Kaiser Wilhelm I., Prinz Heinrich der Niederlande

28  Vgl. Ahlwardt: Das Croy-Fest. In: Greifswalder Akademische Zeitschrift, hrsg. von Karl Schildener, 1. H., Greifswald 1822, S. 124

29  Augustin Balthasar: Historische Nachrichten von den akademischen Gebäuden und Häusern, Greifswald 1750

30  Kupferstichfolge von Martin Engelbrecht. Dessin du nouveau collège de l´Académie Royale à Greiffswalde... 5. Mai 1754 (Universitätsbibliothek Greifswald)

31  Joachim Fait: Die Geschichte des Greifswalder Universitätsbaus. In: Festschrift zur 500-Jahrfeier der Universität Greifswald, Greifswald 1956, Bd. I, S. 169

32  Ebenda, S. 166

33  Johann Carl Dähnert: Von dem neuen Akademischen Gebäude in Greifswald. In: Pommersche Bibliothek, Bd. 1, Greifswald 1752, S. 35ff.

34  Horst-Diether Schroeder: Das Rubenow-Denkmal in Greifswald. Beiträge zur Universitätsgeschichte Nr. 1, Greifswald 1977
35  Ebenda

36  Sie befinden sich in Jena, Freiberg, Göttingen, Erlangen, Heidelberg, Tübingen und Marburg

37  Eckhard Oberdörfer und Horst-Diether Schroeder: Ein fideles Gefängnis. Greifswalder Karzergeschichte in Wort und Bild, Schernfeld 1991, S. 22

38  Ebenda, S. 14

39  Ebenda

40  vgl. Gustav Erdmann: Die Ernst-Moritz-Arndt-Universität Greifswald und ihre Institute. Greifswald 1959, S. 39. Und H. Borris: A. a. O., S. 180f.

41  Vgl. K. Fritze: A. a. O., S. 15ff.

# Bildunterschriften in englischer Sprache

1. Heinrich Rubenow (murdered 1462)
   Jurist, mayor of Greifswald and first Rector of the University. On his initiative the University was founded in 1456. He laid foundations which were firm enough to ensure that the alma mater gryphiswaldensis would become an important seat of learning on the Baltic in the ensuing centuries.

2. Ernst Moritz Arndt (1769 - 1860) Painting by Amatus Roeting
   Arndt was born as the son of a former serf in Groß Schoritz on the Isle of Rügen. Between 1800 and 1811 he worked at the University of Greifswald as adjunct and professor of history. The University has borne his name since 1933.

3. Great University Seal, 1456

4. University sceptres. Pair of great sceptres, 1456, silver, partly gold-plated, 112 cm long; pair of small sceptres, 1459/1547, silver, 87 cm long

5. Escutcheon of duke Philipp I of Wolgast on one of the small sceptres (1547)

6. Copy of the Rubenow panel
   The original votive picture (around 1460) is now in the Greifswald Cathedral of St. Nicholas. It shows Rubenow (left) with six friends and Rostock professors at the time of the University's foundation.

7. Rector's gown, 1619
   Gold and silver embroidery on silk velvet; diameter 142 to 158 cm. The ceremonial gown was donated by duke Philipp Julius of Pomerania-Wolgast.

8. Embroidered coat of arms of the principality of Rügen on the front of the cape

9. Rector's chain of office, around 1620, gold, rubies, diamonds

10. Rector's ring. The former thumb signet of duke Bogislaw XIV, around 1620, gold with a saphire

11. Ernst Bogislaw von Croy (1620 - 1684)
    Donor of the Croy Tapestry. Painting from the second half of the 17th century

12. Croy Tapestry
    Woven in Stettin in 1554 by Peter Heymans

13. The man who commissioned the Croy Tapestry - Philipp I (centre); on the left next to him, his uncle, Barnim XI; Johann Bugenhagen in the backround; they introduced the Reformation to Pomerania

14. Coat of arms of Pomerania on the Croy Tapestry

15. Mary on the Window Seat
    Old Dutch work from the beginning of the 16th century. This small picture, painted on wood, probably once belonged to the art collection of the ducal castle at Wolgast. In the inventory of property left by Philipp I, 1560, a "Marien Bilde, heldt das Kindlein Jesu mit Olie" is listed.
    This work, probably by a master working circa 1510 in the circle around Quentin Massy, passed to Greifswald University around 1800.

16. David Mevius (1609 - 1670)
    One of the most famous Greifswald jurists, who was appointed Vice-President of the Wismar Tribunal by Queen Christina of Sweden. He was recognized as an outstanding authority on Lübeck and Roman law

17. Johann Christian Friedrich Finelius (died 1848)
    Painting by Wilhelm Titel, 1837
    Finelius was professor of theology and minister of St. Nicholas's during the neo-Gothic/Romantic restoration by J. G. Giese. The theologian was himself artistically active. The portrait is among the most expressive in the Council Chamber.

18. Landscape by Moonlight
    by Wilhelm Titel, after 1814

19. Pomeranian Princess
    One of seven small portraits presented to the University by Prof. Laurentius Stenzler in 1761

20. Carl Gustav Wrangel (1613 - 1676)
    This portrait of the Swedish field marshal (acquired in 1992) is one of the few contemporary paintings of Wrangel. The count was Governor General of Swedish Pomerania and simultaneously Chancellor of Greifswald University.

21. Philipp Julius (died 1625) and Bogislaw XIV (died 1637) - the last two dukes of Pomerania

22. Esther tapestry, around 1560

23. Luther cup, gold-plated silver
    Augsburg goldsmith's work by Nicholaus Leiß, end of the 16th/beginning of the 17th century

24. Preliminary sketch for Otto Heyden's monumental picture of the founding ceremony of the Pomeranian university (1856)
    The pen-and-ink sketch with portraits of Greifswald professors was acquired in 1955 from a private source.

25. Andreas Mayer (1716 - 1782)
    Painting by Gabriel Spitzel

26. North facade of the University Main Building
    Designed by Andreas Mayer
    Copperplate engraving by Martin Engelbrecht, 1754

27. Rear facade of the University Main Building
    with the Cathedral steeple in the backround

28. Pomeranian coat of arms held by two wild men

29. Duke Ernst Ludwig memorial stone
    Work from Philipp von Brandin's school of sculpture

30. The present-day Assembly Hall, until 1882 the Library Chamber of the University

31. Rector's chair
    Designed by Heinrich Vogeler, 1906
    Wood, silk with the Pomeranian coat of arms embroidered on the backrest

32. Gustav III (1746 - 1792)

33. Council Chamber with the gallery of 32 portraits of professors by Wilhelm Titel

106

58. Example of one of the plant collections which were prepared in a number of identical sets and offered to other herbariums; it is taken from the collection "Medicinal and Commercial Plants" edited by Hohenacker.

59. Orchids form one of the main areas of emphasis in the Botanical Garden's collection. (Cymbidium hybrids)

60. State Geological Collection of the Geological and Palaeontological Department (Friedrich-Ludwig-Jahn-Str. 17a)

61. Carbonate concretion from Lias clay (Lower Jurassic) near Grimmen, with ammonites

62. Swedish registrar's tax survey map of Daskow and Dittmersdorf, 1696

63. Map of the Erzgebirge area by Pieter Schenk, 1750 (Schenk Atlas, No. 19)

64. St. Anne with Mary and the child Jesus, from Mützenow, West Pomerania, around 1520

65. Ivory relief portraying the birth of Christ, middle of 14th century

66. Harvest comb made from wheat, with toothed branch sickle (right) and winegrower's knife

67. Tambourine and double shawm

68. So-called horse-head ampfora, Aegina, around 550 BC

69. Fragment of an Attic drinking bowl

70. Finds from the "duke's grave", an early Stone Age megalithic burial place in Mönchgut woods, Rügen, around 3,000 BC

71. Primer from the Slavic-Viking trading centre of Menzling, around 900 AD

72. Mediaeval finds in Greifswald

73. Käthe Kollwitz (1867 - 1945)
Mutter mit Kind auf dem Arm (Mother with Child in her Arms, 1910)
Etching and abrasive printing process, 19.5 x 31.1 cm

74. Max Unold (1885 - 1963)
Wolkenkukuksheim (Cloud-Cuckoo-Land) around 1908
Chromolithography, poster, 59 x 44.5 cm

# Literatur (Auswahl)

Ernst Bernheim: Das Testament des Herzogs Ernst Bogislaw von Croy vom 3. Juni 1681. In: Pommersche Jahrbücher, Bd. 11, Greifswald 1910

Hellmuth Bethe: Die Kunst am Hofe der pommerschen Herzöge, Berlin 1937

Heinrich Borris (Hrsg.): Lehre und Forschung an der Ernst-Moritz-Arndt-Universität Greifswald, Greifswald 1959

Johann Carl Dähnert: Von dem neuen Akademischen Gebäude in Greifswald. In: Pommersche Bibliothek, Bd. 1, Greifswald 1752

Der Greifswalder Croy-Teppich. 27. Croy-Fest 16. Oktober 1992. Greifswalder Universitätsreden, NF Nr. 64, Greifswald 1992/93

Gustav Erdmann: Die Ernst-Moritz-Arndt-Universität Greifswald und ihre Institute, Greifswald 1959

Johannes Erichsen (Hrsg.): 1000 Jahre Mecklenburg – Geschichte und Kunst einer europäischen Region. Katalog zur Landesausstellung Mecklenburg-Vorpommern 1995, Rostock 1995

Festschrift zur 500-Jahrfeier der Universität Greifswald 1456 - 1956, 2 Bde., Greifswald 1956

Helmut Hannes: Der Croy-Teppich – Entstehung, Geschichte und Sinngehalt. In: Baltische Studien, NF, Bd. 70, Marburg 1984

Adolf Hofmeister: Die geschichtliche Stellung der Universität Greifswald. Greifswalder Universitätsreden 32, Greifswald 1932

Johann Gottfried Kosegarten: Geschichte der Universität Greifswald mit urkundlichen Beilagen, 2 Teile, Greifswald 1856/57

Ernst Lucht: Die Universität Greifswald, Düsseldorf 1930

Rainer A. Müller: Geschichte der Universität, München 1990

Eckhard Oberdörfer und Horst-Diether Schroeder: Ein fideles Gefängnis. Greifswalder Karzergeschichten in Wort und Bild, Schernfeld 1991

Walter Paatz: Sceptrum Universitatis. Heidelberger Kunstgeschichtliche Abhandlungen, NF, Bd. 2, Heidelberg 1953
Karl Schildener (Hrsg.): Greifswalder Akademische Zeitschrift, 3 Bde., Greifswald 1822 - 1833

Roderich Schmidt: Der Croyteppich der Universität Greifswald, ein Denkmal der Reformation in Pommern. In: Johann Bugenhagen. Beiträge zu seinem 400. Todestag, hrsg. von Werner Rautenberg, Berlin 1958

Otto Schmitt und Victor Schultze: Wilhelm Titels Bildnisse Greifswalder Professoren, Greifswald 1931

Ingeborg Schnack: Beiträge zur Geschichte des Gelehrtenporträts. Historischer Bilderkunde 3, Hamburg 1935

Horst-Diether Schroeder: Das Rubenowdenkmal in Greifswald. Beiträge zur Universitätsgeschichte Nr. 1, Greifswald 1972

Ders.: Kunstschätze der Ernst-Moritz-Arndt-Universität Greifswald, (Mappe), o. J.

Victor Schultze: Die Kunstdenkmäler der Königlichen Universität Greifswald, Greifswald 1896
Ders.: Geschichts- und Kunstdenkmäler der Universität Greifswald, Greifswald 1906

Ivar Seth: Die Universität Greifswald und ihre geschichtliche Stellung in der schwedischen Kulturpolitik 1637 - 1815, Berlin 1956

Hans-Georg Thümmel: Studien zum Gruppenbild des 15. und 16. Jahrhunderts, Greifswald 1992
Universität Greifswald. 525 Jahre, Berlin 1982

Martin Wehrmann: Geschichte von Pommern, 2 Bde., Gotha 1919/1920 (Reprint Augsburg 1992)

Nikolaus Zaske: Der Greifswalder Croy-Teppich. Cranachs Beitrag zur Entwicklung des monumentalen Historien- und Gruppenbildes. In: Lucas Cranach. Künstler und Gesellschaft, Wittenberg 1973

# Adressen und Besichtigungsmöglichkeiten der Sammlungen

Die Sammlungen der einzelnen Institute können nach vorheriger Vereinbarung besichtigt werden (Ernst-Moritz-Arndt-Universität Greifswald, 17487 Greifswald):

Sammlungen des Instituts für Anatomie:
Loefflerstr. 23 c
Tel.:  038 34 - 86 53 08

Zoologisches Museum:
Zoologisches Institut
Bachstr. 11/12
Tel.: 038 34 - 86 42  71

Sammlungen des Botanischen Instituts:
Grimmer Str. 88
Tel.:  038 34 - 86 41 34

Geologische Landessammlung:
Jahnstr. 17 a
Tel.: 038 34 - 86 45 80

Historische Kartensammlung des Instituts für Geographie:
Jahnstr. 16
Tel.: 038 34 - 86 45 29

Sammlung des Victor-Schultze-Instituts für  Christliche Archäologie und Geschichte der Kirchlichen Kunst:
Domstr. 11
Tel.: 038 34 - 86 25 01

Sammlungen zur Biblischen Landes- und Altertumskunde des Gustaf-Dalman-Instituts:
Domstr. 11
Tel.: 038 34 - 86 25 06

Archäologische Studiensammlung des Instituts für Altertumswissenschaften:
Rudolf-Petershagen-Allee 1
Tel.: 038 34 - 86 31 05

Sammlung vorgeschichtlicher Altertümer für Vor- und Frühgeschichte:
Institut für Vor- und Frühgeschichte
Domstr. 11
Tel.: 038 34 - 86 32 43

Grafische Sammlung des Caspar-David-Friedrich-Instituts für Kunstwissenschaften:
Bahnhofstr. 46 /47
Tel.: 038 34 - 86 32 61

Botanischer Garten:
*Gewächshausanlage und Freilandbereich:*
Münterstraße 2
Tel.: 038 34 - 86 11 30
　　Montag bis Freitag: 9.00 - 15.45 Uhr (Gewächshäuser von 12.00 - 12.30 Uhr geschlosssen)
　　Sa, So und Feiertag: 13.00 - 15.00 Uhr, im Frühjahr und Herbst bis 16.00 Uhr, im Sommer bis
　　18.00 Uhr

*Arboretum*
Friedrich-Ludwig-Jahn-Straße
　　April bis Oktober, täglich 9.00 - 15.45 Uhr, in den Sommermonaten bis 18.00 Uhr

Universitätsbibliothek:
Rubenowstr. 1
Tel.: 038 34 - 86 0
　　Lesesaal geöffnet:
　　Montag bis Freitag　　　8.00 - 21.00 Uhr
　　Samstag　　　　　　　　8.00 - 17.00 Uhr

Universitätsarchiv:
Domstr. 11
Tel.: 038 34 - 86 11 56
Öffnungszeiten sind telefonisch zu erfragen

Kustodie:
Domstr. 11
Tel.: 038 34 - 86 11 22
　　Montag, Mittwoch, Donnerstag:　9.00 bis 12.00 Uhr

Führungen durch die Universität (Universitätshauptgebäude mit Aula und Konzilsaal, historisches Hörsaalgebäude
mit dem Studentenkarzer) nach Vorabsprache

111